D0864770

Coup de sang

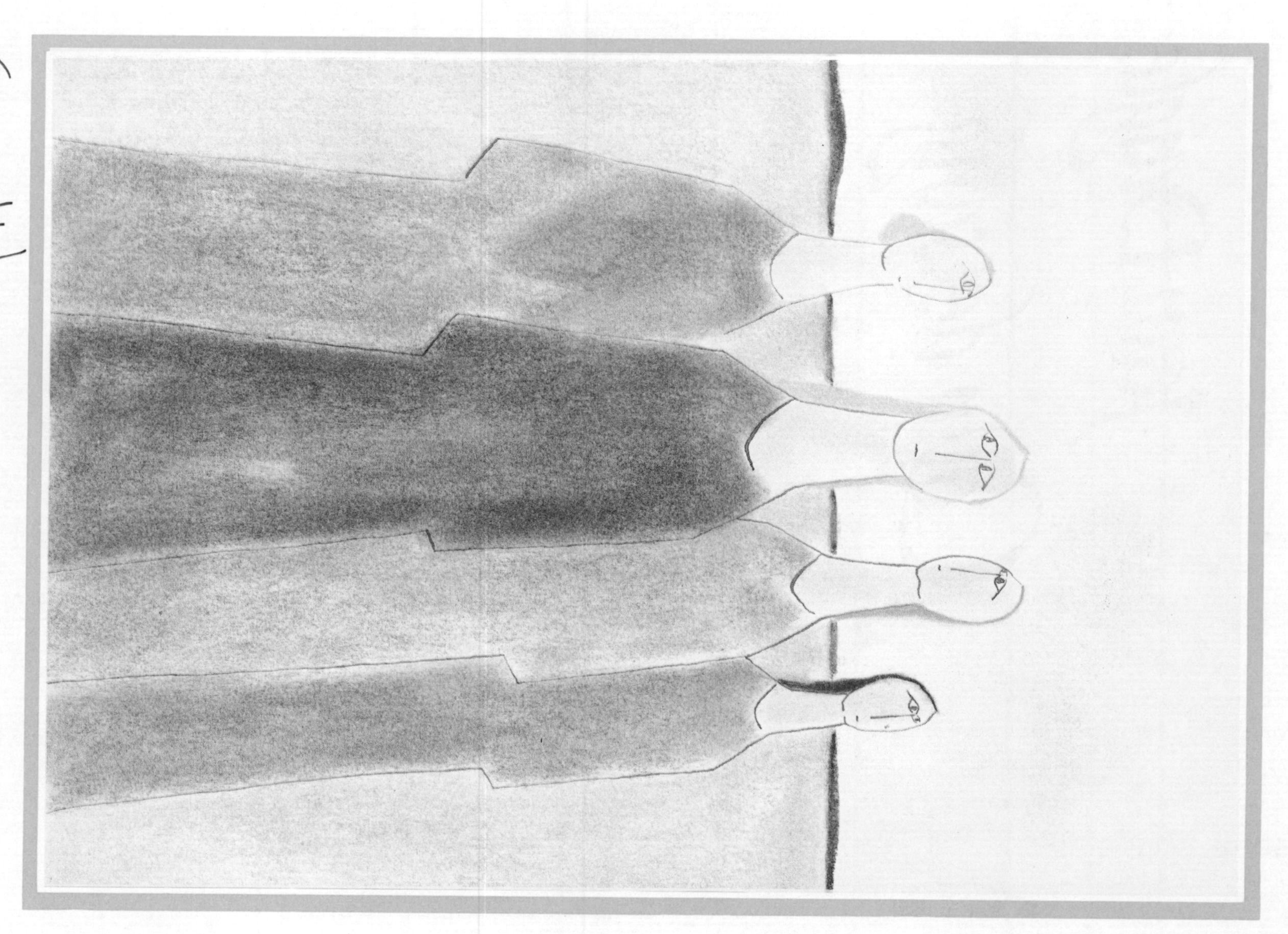

Jean Daigle

Coup de sang

Avec 7 illustrations de Charles Lemay

Éditions du Noroît

Ce livre, réalisé d'après la conception graphique de Martin Dufour,
a été composé en Garamond corps 14 et achevé d'imprimer sur papier
De luxe vergé des papeteries Rolland par Les Presses Elite,
le 10 septembre mil neuf cent soixante-seize, pour le compte
des Éditions du Noroît de Saint-Lambert.

L'édition originale comprend 2,000 exemplaires dont 50 exemplaires
imprimés sur papier Carlyle Japan, numérotés à la main de 1 à 50,
reliés par Daniel Benoît et signés par l'auteur, l'artiste et le relieur ;
50 exemplaires numérotés à la main de 51 à 100 et signés par l'auteur
et l'artiste.

Dépôt légal : 3e trimestre 1976
Bibliothèque nationale du Québec

ISBN : 0-88524-015-4

À ma mère
qui m'a appris à écrire.
En mémoire de mon père
qui m'a légué la noblesse du travail.

Pour Jani et René,
avec mon étonnement
toujours renouvelé de vos
yeux et de votre amour
le mien vous est acquis

Jean

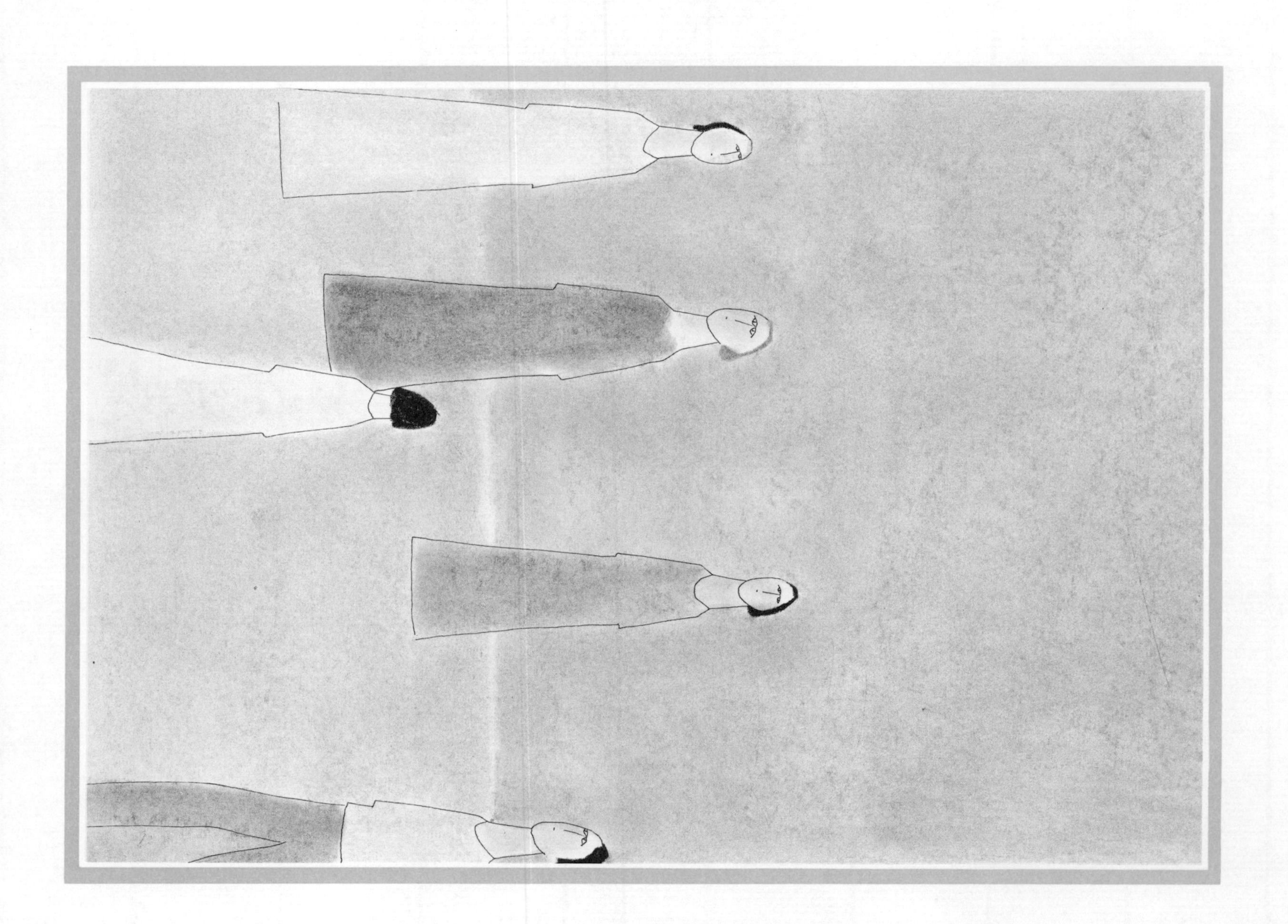

Distribution

La mère	70-75 ans
Julie	sa fille, 35-40 ans
Marie	sa bru, 40-45 ans
Irène	sa petite-fille, 18-23 ans
Henri	mari d'Irène, 28-33 ans

L'action se passe dans un rang de Saint-Édouard de Lotbinière, au Québec. Le décor est une cuisine de maison de ferme aisée. La pièce se déroule entre 1910 et 1915.

Cette pièce sera créée par le Théâtre du Nouveau-Monde en novembre 1976 dans une mise en scène d'André Montmorency et des décors de Wendell Dennis et Charles Lemay. Les rôles seront tenus par Béatrice Picard (La Mère), Andrée Lachapelle (Julie), Murielle Dutil (Marie), Pierrette Robitaille (Irène), Gilles Renaud (Henri).

Acte un

[*Au lever du rideau, il est 7 heures moins quelques à l'horloge.* JULIE *est figée devant la fenêtre. Au bout d'un moment,* MARIE *descend l'escalier, tenant un panier à la main. Ce panier contient des lainages. Elle le pose sur la table et va chercher une paire de ciseaux, accrochée au mur près de la porte de la cave. Elle retourne à la table et se met à couper les lainages par morceaux. Elle les échiffera pendant la scène.*]

[*Tous ces mouvements sont faits lentement ; ce sont les gestes de tous les jours.*]

[*Quand* MARIE *est installée, venant de sa chambre,* LA MÈRE *entre en scène en mettant ses lunettes. Elle tient une annale à la main. Elle s'asseoit dans la berçante et commence à feuilleter. Au bout d'un moment, son regard est arrêté par quelque chose. Sans lever les yeux elle parle :*]

LA MÈRE : Tiens ! le petit Polyte qui part pour l'Afrique.

MARIE : [*Sans lever les yeux non plus*] Le petit Polyte ?

LA MÈRE : [*Regardant au-dessus de ses lunettes*] Oui, le garçon de Polyte Caton qu'on appelait, tu te souviens ?

MARIE : Ah ! oui. Ça restait dans le Portage, autrefois ?

LA MÈRE : En plein ! La famille est partie de la paroisse, y a quelques années. Y a son portrait dans mon Annale, y s'en va en mission.

MARIE : Sa mère sera pas inquiète de son sort à celui-là, toujours. Elle doit être fière, je me mets à sa place

LA MÈRE : C'est une grande consolation que le bon Dieu m'a refusée, Marie.

MARIE : Plaignez-vous pas, vous avez une religieuse, au moins.

LA MÈRE : Je remercie le ciel à chaque soir aussi et je demande de vivre assez vieille pour voir un de mes petits-enfants prêtre. Ça rachèterait un peu ce que ton mari m'a fait endurer à moi, sa mère et à toi, sa femme.

MARIE : J'ai pardonné, y a longtemps, mémère.

LA MÈRE : Moi itou, mais là-haut, y vont me demander des comptes. Je voudrais pas arriver devant saint Pierre les mains vides.

[JULIE *part de la fenêtre après avoir poussé un long soupir. Elle se dirige vers la sortie qui est à l'opposé de la scène. Au moment où elle va sortir,* LA MÈRE *place sa réplique.*]

LA MÈRE : Julie, mets une veste de laine sur tes épaules, c'est cru dehors.

[JULIE *obéit sans parler. Elle prend une veste pendue aux crochets qui se trouvent sur le mur à l'entrée. Elle sort en l'endossant.*]

LA MÈRE : J'aurais voulu avoir une grosse famille. Malheureusement, mon défunt est mort trop jeune.

MARIE : Huit enfants, je trouve que c'est une bonne maisonnée.

LA MÈRE : C'est assez pour une femme toute seule, oui. Mais si mon homme avait vécu, j'aurais aimé me rendre à quinze, seize.

MARIE : Évidemment, le dicton populaire veut que la Providence s'arrange pour nourrir les petits oiseaux. Pour eux autres, c'est facile, y ont rien qu'à suivre les chevaux, mais quand vient le temps de donner à manger à une tablée de quinze, y faut se lever au petit matin et puis y faut pas être manchote.

LA MÈRE : La divine Providence se charge de tout, quand on a confiance. [*Définitif*]

MARIE : [*Résignée*] Oui, c'est ça qu'y nous disent en chaire, y a pas à rechigner !

[*Il y a un temps pendant lequel* LA MÈRE *continue à lire et* MARIE *à travailler.*]

LA MÈRE : [*Secouant la tête*] Quand on pense que le globe est encore plein de païens qui ont pas la chance d'être catholiques ! Tu vois qu'on a été privilégiées, Marie, de venir au monde baptisées.

MARIE : Si y avait fallu que je sois anglaise ou négresse, chose certaine, j'aurais pas mis de temps à me convertir ; ça !...
[*On a entendu les cloches de l'église du village, au loin, pendant la fin de la réplique de* MARIE.]

LA MÈRE : [*Sans lever les yeux*] Sept heures ! La prière qui sonne au village.
[MARIE *regarde l'horloge. Il est moins quelques...*]

MARIE : On a quelques minutes d'arrière sur l'église.
[MARIE *se lève et va faire sonner l'horloge. Ensuite elle va ouvrir la porte de la cave, sous l'escalier pour prendre quelque chose qui ne s'y trouve pas. Elle tourne la tête vers* LA MÈRE *pour demander :*]

MARIE : Avez-vous vu les cardes ? Je les trouve pas dans l'entrée de la cave.

LA MÈRE : [*Sans bouger*] Je les ai laissées dans ma chambre, sur le chiffonnier.
[MARIE *part en direction de la chambre, mais est arrêtée par les coups qu'on frappe à la porte. Elle repart vers la porte d'entrée.*]

MARIE : Ah ! des veilleux !
[MARIE *ouvre la porte.*]

IRÈNE : [*En coulisse*] Bonsoir, ma tante !

MARIE : Si c'est pas notre belle Irène. [*Celle-ci entre au moment où* LA MÈRE *dit :*]

LA MÈRE : Entre te chauffer, ma petite fille.

IRÈNE : Je viens vous chercher, mémère, on a besoin de vous.

LA MÈRE : Y a personne de malade, toujours ?

IRÈNE : Ah ! non. On a des problèmes avec notre pièce au métier. Y a un côté qui balle, maman sait pas quoi faire.

MARIE : Vous avez déjà commencé à tisser, vous autres ? On en est encore à carder nos échiffes, comme tu vois. [*Elle montre la table où sont ses échiffes.*]

IRÈNE : C'est de la toile qu'on a montée, pour le moment.

LA MÈRE : Tu trouves pas qu'y est un peu tard, Irène ? La noirceur est déjà arrivée.

IRÈNE : On viendra vous reconduire au fanal. Henri est justement à la maison, ça peut pas mieux tomber.

MARIE : En quel honneur que tu reçois ton cavalier un mauvais soir ?

IRÈNE : Il part pour le bois. Il en a profité pour venir passer une couple de jours avec moi ; avant de s'en aller.

LA MÈRE : [*Se levant et enlevant ses lunettes*] Je suis bien contente qu'y soit là, ça va me donner la chance de le connaître. Depuis le temps que tu nous en parles de ton Henri...

IRÈNE : D'ordinaire, quand il vient veiller, il faut qu'il s'en aille de bonne heure, il a du chemin à faire pour retourner, lui.

MARIE : Non, mais ! les jeunes d'aujourd'hui, ça va voir les filles en dehors de paroisse comme si de rien n'était.

IRÈNE : C'est pas toujours commode, par exemple. Quand son père a besoin du boghey, moi, je me liche la patte, ce jour-là.

LA MÈRE : Alors, marie-toi !

[IRÈNE *riote en rougissant.*]

MARIE : Tiens ! tiens ! tiens ! Regarde-moi donc dans les yeux, voir!

LA MÈRE : Fais-la pas étriver, Marie.

MARIE : Tu ferais la plus belle petite mariée et la meilleure petite mère, à part ça. T'es de l'étoffe à faire une femme d'habitant. Vous êtes pas de mon dire, mémère ?

LA MÈRE : C'est pas pour rien que c'est ma fillole.

IRÈNE : Ah ! Henri se cherche une terre à acheter.

LA MÈRE : Tu me jaseras de ça en route, Irène. Dépêchons-nous.
[LA MÈRE *part vers sa chambre.*]

MARIE : Si jamais tu nous fais des noces, en tout cas, mon cadeau est déjà prêt.

IRÈNE : Dites-moi le pas, je veux avoir une surprise !

MARIE : Crains rien, quand on se marie, c'est pas les surprises qui manquent.

IRÈNE : De toute manière, demain est pas encore la veille de mon mariage.
[JULIE *revient de dehors.*]

IRÈNE : Bonsoir, ma tante Julie.

JULIE : Bonsoir, Irène.
[JULIE *enlève son chandail qu'elle pend au crochet où il était.*]
[LA MÈRE *revient de sa chambre en endossant un châle.*]

LA MÈRE : Je mets ma chape, c'est frisquet dehors. Hein, Julie ?

IRÈNE : Le serein est déjà tombé.

JULIE : Oui, ça sent le poisson mort.

IRÈNE : Vous trouvez ? Il me semble que ça sent le terreau !

LA MÈRE : Oui, le terreau, la bonne feuille mouillée, le labour frais. Y a une odeur de boucane, de feu d'abattis, de fardoches brûlées qui râpe le gosier comme du vin de gingembre ! Ah ! parlez-moi de l'automne ! C'est le paradis terrestre. [*Poussant* IRÈNE] Allez, ma fille, marche devant.

IRÈNE : [*Se dirigeant vers la porte qu'elle ouvre*] Bonsoir !

MARIE : Bonsoir là !
[LA MÈRE *referme la porte.* MARIE *reste un instant en place, puis, se rappelant ce qu'elle faisait, elle se dirige vers la chambre de* LA MÈRE *en disant :*]

MARIE : ... Mes cardes !
[*Pendant que* MARIE *est allée dans la chambre,* JULIE

est retournée vers la fenêtre et regarde encore dehors. Il y a un bon temps. MARIE *revient s'installer à son travail. — Elle carde.*]

JULIE : Le soir coule comme du plomb !

MARIE : Les jours raccourcissent à vue d'œil !

JULIE : L'hiver va venir vite maintenant !

MARIE : Faut pas trop y penser !

JULIE : Je sais pas pourquoi, mais j'ai souleur quand le soleil est couché : ... à ce temps-ci surtout ! Septembre !

MARIE : Pourtant, on peut pas demander plus beau ! Les érables sont rouges, y a des poignées de cenelles, des tresses de pommes, partout !

JULIE : C'est beau, oui. Mais que le nordest prenne demain matin, y restera que les grappes de pimbina qui attendront la gelée... comme on attend le cimetière.
[*Elle a dit cela avec révolte. Elle a quitté la fenêtre.*]

MARIE : Ma grand-foi, tu couves quelque chose, toi ! Tu vas comme une âme en peine, toute songearde. On dirait que t'as perdu un pain de ta fournée.

JULIE : Ah ! Marie, si tu savais ce que c'est que de sentir cette moiteur que je sens jusqu'à la moelle de mes os. De voir chaque automne revenir, j'en ai des rhumatismes au cœur...

MARIE : Tu peux pas empêcher les saisons de revaucher les unes sur les autres ! C'est une roue qui tourne, ça, c'est ni toi ni moi qui pouvons l'arrêter.

JULIE : Non. ... Seulement, ici, le temps est figé comme du suif, on dirait ! Y a rien qui bouge, on vit déjà dans l'éternité.

MARIE : Je voudrais bien pas broncher, moi, Julie, mais je m'aperçois que je prends de la bouteille. Malgré moi, la quarantaine me pousse dans le dos.

JULIE : C'est ça le pire ! C'est ça qui me révolte. Vieillir en croupissant comme l'eau de la grenouillère ! Vieillir contre son vouloir, en rongeant son frein ! Vieillir en perdant ses illusions une à une avec ses dents ! Vieillir en séchant comme les épis de blé d'inde pendus aux entraits ! Vieillir en creusant sa fosse un peu plus creux chaque jour ! Vieillir ad vitam æternam ! Vieillir jusqu'à puer la vieillesse ! [*Révoltée et blessée*]

MARIE : Julie !

JULIE : Laisse-moi faire, Marie, j'ai besoin de ruer dans les brancards, des fois.

MARIE : Je te comprends va, on a des passades, chacun notre tour.

JULIE : Y a des jours, où le bacul te blesse trop, tu peux plus supporter l'attelage, les menoires sont trop étroites !

MARIE : Nous autres, les femmes — je parle pour les femmes dans nos âges, bien sûr — on a des mauvais quarts d'heure qui nous attendent ; faut s'y résigner.

JULIE : Oh ! que j'aie soixante-dix ans comme ma mère, ou trente-cinq comme aujourd'hui, qu'est-ce que ça changera pour moi ?

MARIE : C'est pas parce que tu t'es pas mariée que t'es pas une femme comme les autres. Tu y échapperas pas, c'est notre lot, on y passe, coûte que coûte.

JULIE : Si on pouvait tourner en eau comme les nuages au lieu de rester ancrés à la terre comme les roches !

MARIE : Pourquoi passer par les nuages pour revenir à la terre de toute façon ?

JULIE : Pour qu'y arrive quelque chose ! [*Elle arpente la pièce.*] Pour qu'on s'évade ! Pour qu'on voie plus loin que le trécarré ! Pour que les heures arrêtent de s'égrener comme un rosaire d'ennui. Marie ! Marie ! comment y faut faire pour pas crever du mal d'ennuyance ?

MARIE : Je pense qu'y faut pas se regarder vivre, Julie. À force de s'apitoyer sur son sort, on devient égoïste, on voit plus ce qui grouille autour.

JULIE : Dieu merci, quand je regarde les voisines, je les envie pas : au contraire.

MARIE : T'aurais fait comme elles, si tu t'étais mariée !...

JULIE : J'ai refusé... et je le regrette pas.

MARIE : Moi, j'ai accepté et je l'ai regretté.

JULIE : Tu vois ?

MARIE : C'est vrai que j'ai regretté, dans le temps, mais plus maintenant ! Parce que, l'espace de quelques mois, j'ai été une femme, une vraie ! Oh ! c'est pas que je devais être bien aguichante en me promenant le ventre par-dessus le dos, non, mais je t'avoue que quand je me regardais dans le miroir, je me trouvais avantageuse, moi.

JULIE : Toi, tu te trouvais belle, peut-être, mais ton mari, lui...

MARIE : Je t'apprendrai rien en te disant que ton frère aîné était pas ce qu'y avait de plus complimenteux. Je sais pas comment y me trouvait, y était pas jasant, non plus ! Y était plutôt... euh !... Oh ! et puis ça donne rien de le décrier à c't'heure qu'y est parti au diable au vert depuis presque vingt ans !

JULIE : Je comprendrai jamais comment t'as pu faire pour lui pardonner !

MARIE : Y fallait ! Le bon Dieu le jugera.

JULIE : Que les femmes de par ici sont donc bêtes ! Bêtes comme des bêtes à cornes quand y mouille ! Elles restent là, à ruminer, en courbant le dos, au lieu de se mettre à l'abri.

MARIE : À l'abri ? Quand t'es plantée en plein champ, sans un orme, et que t'as une talle de bouleaux pour tout partage, je t'assure que t'es pas pire à rester à la pluie ! Tout ce que tu peux faire, c'est de te mettre le derrière au vent et d'attendre que ça finisse.

JULIE : Mais il faut sauter les clos, casser les enfarges !

MARIE : Oui... et quand y te rattrapent, y t'attachent une patte à la tête ! T'es bien avancée !

JULIE : C'est à se demander si les gens aiment pas rester dans leur roulière ! Plus elle est profonde, plus ils sont contents.

MARIE : Tout le monde a pas la chance d'avoir ce que t'as sous les pieds. T'es une des rares qui aurait pu élever une famille nombreuse, sans gratter, justement.

JULIE : J'ai pas voulu.

MARIE : Pas parce que t'as pas trouvé de bons partis, journée de la vie ! Alors pourquoi ?

JULIE : C'est le seul moyen que j'ai trouvé de pas faire comme tout le monde, ma pauvre Marie !

MARIE : À jamais vouloir être comme tout le monde, Julie, c'est dangereux de finir par ressembler à rien.

JULIE : Être mère de famille, tu penses que c'est tout ce qu'une femme peut trouver de mieux ?

MARIE : Si on est sur la terre par parure, uniquement, j'aimerais mieux être une touffe de cœurs saignants en ce cas-là.

JULIE : On dirait que tout ce qui compte, c'est de faire des enfants.

MARIE : Quand on se marie, c'est normal, y me semble.

JULIE : Je sais ! Le curé le répète assez, t'as pas besoin de me le renoter. Tu verrais que si les curés étaient mariés, y changeraient leur fusil d'épaule.

MARIE : Bonté divine ! tu parles comme une vraie protestante, c'est effrayant !

JULIE : Scandalise-toi pas ma belle-sœur, je te dis ça à toi, mais ça ira pas plus loin, parce que je sais que c'est pas nous qui allons y changer quelque chose. Je finirai, comme les autres, par céder à l'usure et je mourrai ratatinée, sèche et mangeuse de balustres.

MARIE : Si c'est l'automne qui te fait cet effet-là, je vais dire comme toi, t'as bien raison de pas aimer voir arriver le mois de septembre !

JULIE : C'est une prison de femmes, ici.

MARIE : Prison, tu y vas fort. Tu peux aller et venir à ta guise, personne t'empêche de bardasser.

JULIE : Les barreaux sont ni dans les fenêtres ni dans les lucarnes... On vit dans un monde de femmes depuis que je suis haute comme ça. Ma mère nous a élevées toute seule...

MARIE : Eh ! oui, y avait un seul garçon et c'est moi qui en ai hérité. Tant qu'à faire des gibiers comme mon mari, ta mère a été chanceuse d'avoir sept filles après lui.

JULIE : Et c'est moi la septième, par-dessus le marché : celle qui a un don ! Tu vois que j'ai été gâtée.

MARIE : Je saisis pas pourquoi tu te plains, franchement : on s'entend bien, on se partage la besogne, on a un homme à gages pour les gros travaux, on a des bonnes payes de beurrerie, la tasserie est fine pleine...

JULIE : On vit bien, oui. On a une grande terre de quatre arpents, on a des bâtiments étanches, une maison de pierre solide, une cave pleine de conserves, des coffres bourrés de couvertes de laine ! Et, dans ma chambre, y a un trousseau de vieille fille au complet qui moisit dans des armoires.

MARIE : Tu viens de me le dire que c'est toi qui as refusé de te marier, étant jeune. Y faudrait savoir ce que tu veux !

JULIE : C'est vrai que mes sœurs se sont mariées, j'avais qu'à faire pareil.

MARIE : Excepté Ursule qui est entrée en communauté !

JULIE : Ça change pas grand-chose avec nous autres, je t'assure, à part la cornette : c'est un cloître ici, ni plus ni moins.

MARIE : T'as pas envie de dire que ta mère nous traite comme si on était des sœurs ?

JULIE : C'est pas à cause de maman, ni à cause de toi, Marie. C'est de vivre toujours entre femmes, comme on fait !

MARIE : Y faut accepter sa destinée, qu'est-ce que tu veux ? Ta mère est veuve depuis belle lurette, moi je suis veuve sans l'être et, toi, tu t'es pas mariée. On peut toujours pas aller emprunter des hommes chez les voisins !

JULIE : Y a des odeurs qui traînent partout : dans la chambre, [*Montrant celle de sa mère*] là, ça sent le camphre, dans la mienne, les boules à mites, dans la tienne, le cèdre et, dans le salon, ça sent le cani.

MARIE : Je comprends ! Dans le salon, on y met les pieds deux fois par année : aux Fêtes pour le repas de famille et à la visite du curé !

JULIE : Sans compter la chambre de réserve avec les poignées de tombe encadrées, les fleurs sous cloche, les statues et les toiles baissées.

MARIE : C'est drôle que tu t'attaches à rien, toi. Tout ça, c'est des souvenirs. Pour ta mère, c'est sa jeunesse, sa famille, sa vie, quoi !

JULIE : Ça te donne une idée de ce qu'a pu être sa vie, si tu regardes ce qui lui en reste. Moi, je veux rien traîner avec moi.

MARIE : Qu'on le veuille ou non, on traîne toujours quelque chose, Julie, parce que ça s'accroche à nous autres jusqu'au charnier, j'ai bien l'impression. On peut pas oublier sa première messe de minuit, son premier jour d'école, son premier petit cavalier... surtout si y a eu le malheur de nous embrasser et qu'on a eu peur d'avoir commis un péché...

JULIE : [*Se raidissant*] Moi, j'ai oublié ça !...

MARIE : Le soir qu'y m'a demandée en mariage, je revois encore mon père qui fumait sa pipe dans sa grand-chaise, pendant que ma mère, les deux mains croisées sur le ventre, dans sa robe de soie noire, son épinglette piquée dans le poitrail, se renflait pour pas pleurer ! Moi je sais pas trop comment je me sentais, je me rappelle plus. J'étais heureuse et j'avais rien qu'une crainte : que mon père dise non...

JULIE : C'est pourtant ce qu'y aurait dû dire, ça t'aurait évité de marier mon vaurien de frère !

MARIE : Oui, mais ça m'aurait privée des plus belles joies de ma vie ! Quand on a aimé un homme, Julie, qu'on s'est donnée à lui, qu'il nous a fait voler le cœur à nous couper le souffle, on peut pas...

JULIE : [*Coupant sa phrase*] Non, on peut pas ! C'est ça que je nous reproche, aux femmes. On peut pas laisser le passé derrière. Il faut toujours qu'on entasse ! Jusqu'au jour où les souvenirs finissent par nous étouffer, nous empêcher de bouger, nous paralyser, nous clouer à notre chaise berceuse en attendant qu'on dorme sur les planches, abriées d'un drap blanc.

MARIE : Tu m'en sors à soir, toi, je me demande ce qui t'arrive ! T'es pas malade ?

JULIE : Peut-être que je suis malade, en effet, Marie. Après tout, c'est peut-être une maladie d'être vieille fille puisque ça finit par nous emporter... D'ailleurs, pour l'utilité qu'on peut avoir dans le monde, je t'assure ! [*Riant jaune*] Les gens ont raison de rire de nous autres ! Regarde-moi, Marie ! tu trouves pas que j'ai l'air d'un coton de rhubarbe monté en graine ? Je suis longue, plate, pas de hanches, pas de fessier, pas de poitrine ! Regarde-moi la tournure ! J'ai l'air d'une aigrette !

MARIE : Tu te fais des accroires, Julie, voyons !

JULIE : Et le pire dans tout ça, c'est que je fais fuir les enfants.

MARIE : Voir si t'as l'air d'un épouvantail à corneilles !

JULIE : Non, tu peux pas sentir ça toi, parce que tu les attires. Les enfants, c'est comme les chiens, y flairent ceux qui les aiment à distance.

MARIE : C'est pourtant facile à apprivoiser un enfant : y suffit qu'y sente que tu l'aimes avec ton ventre.

JULIE : Justement, y sentent que je suis sèche, en dedans comme en dehors.

MARIE : Tu te connais mal, je t'assure. Moi qui vis avec toi depuis des années, je sais que tu caches le meilleur de toi, que tu te forces à pas montrer que tu aimes les autres...

JULIE : [*Dressée*] Pourquoi montrer aux autres qu'on les aime quand on reçoit rien en retour ?

MARIE : Mais moi, Julie, moi, je t'aime, comme ma belle-sœur... je dirais même comme ma sœur. Y faut pas que tu penses qu'on t'aime pas. Bien sûr, on est pas pour passer notre temps à se dire qu'on se trouve fines, mais, n'empêche que je sais, dans le fond, que si t'étais pas là...

JULIE : On s'agrippe l'une à l'autre pour pas chavirer, Marie. On est trois femmes qui additionnent leurs solitudes pour tâcher d'en faire une bouée de sauvetage. Malgré tout, y reste un vide, un trou, un néant où on tombera fatalement un jour.

MARIE : Tais-toi, tu me fais frémir quand tu tiens des discours pareils.

JULIE : Penses-tu que j'ai pas le frisson, quand je pense à ce qui m'attend, moi, la première ? C'est pour ça que je veux y penser d'avance, pour pas être effrayée quand j'arriverai au bout de ma fusée.

MARIE : T'aurais besoin de partir quelque temps ; aller te promener, changer le mal de place.

JULIE : À quoi bon ? puisque le mal fera que changer de place : il sera toujours là quand même !

MARIE : En ce cas-là, pars !... loin ! pars !

JULIE : Trop tard, Marie ! Y aurait fallu que je parte y a quinze ans. Je suis incrustée comme le solage dans la terre. J'ai pris racine ! Même si un ouragan réussissait à casser le gros saule près du puits, tant qu'on aurait pas arraché sa souche à force de chevaux, y tigerait chaque printemps.

MARIE : Tu veux dire que tu pourrais pas partir sans être forcée ?

JULIE : Non, de moi-même, je pourrais pas, et pourtant c'est toujours ce que j'ai le plus souhaité.

MARIE : À bien peser le pour et le contre, t'es encore mieux avec nous autres qu'ailleurs.

JULIE : Et c'est parce que je peux pas partir que je me sens dans une prison... [*Cynique*] Oh ! en prison, on est au moins à l'abri... des tentations, si je peux dire.

MARIE : Qu'est-ce que tu vas me chercher là ?

JULIE : Te tracasse pas, je te ferai pas de sermon. Y a bien assez que tout est mal selon la religion, sans que je me mette à trouver des nouvelles occasions de pécher.

MARIE : Tu devrais prier, Julie, ça te ferait pas de tort, je pense, dans les circonstances. Fais une neuvaine. Je suis parée à la faire avec toi. Ou bien fais comme ta mère, dis tes mille avés.

JULIE : Je voudrais être comme vous autres, Marie, et croire que la religion va tout arranger. Mais je suis pas capable de croire que Dieu est assez bête pour ça.

MARIE : Jamais je croirai que tu penses ce que tu dis là !

JULIE : Et je dis pas tout !

MARIE : Je veux pas l'entendre non plus ! Journée de la vie !

JULIE : Réfléchis, ma pauvre Marie, et laisse-toi plus endormir par toutes ces belles menteries d'Église ! Moi, pour croire en Dieu, j'ai besoin de preuves. Si y me veut de son côté, qu'y me tende la perche. Qu'y me jette à terre comme saint Paul, mais qu'y me laisse pas me morfondre à gratter la pierre avec mes ongles. Tout ce qu'on m'a raconté depuis ma première communion, j'ai essayé de le croire, mais je me suis aperçue à la longue que ça tenait pas debout. Tant qu'on aura la religion dans les jambes comme on l'a, Marie, on restera une bande de moutons, et le premier qui passera la clôture, y faudra qu'y enlève son carcan, d'abord, si y veut pas s'étrangler. En venant au monde, on nous met un bonnet sur la tête. Tu te souviens de ton petit catéchisme, ça s'appelle un chrémeau. Eh bien ! le chrémeau, on te le plante si bien sur la caboche que tu peux pas le laisser tomber avant d'être trépassé. Ça te colle au cerveau comme le chapeau colle au crâne des bébés naissants.

MARIE : Tu devrais avoir peur que le bon Dieu te punisse dré là, Julie.

JULIE : Qu'est-ce que je te disais ? Tu vois, on peut pas se passer de croire aux loups-garous. On met tout dans le même sac. Dieu avec. Lui aussi, c'est un revenant. Ah ! si seulement le diable pouvait apparaître une fois comme à Rose Latulippe ! Pour nous prouver que Dieu existe au moins ! Mais non, y faut aimer Dieu comme les aveugles aiment le jour, sans savoir ce qu'est la lumière.

MARIE : [*Effrayée*] Julie ! ou bien t'es revirée contre la religion — en ce cas-là, je peux pas faire grand-chose, je suis trop ignorante pour te convertir — ou bien t'es possédée du démon — et en ce cas-là, y faudrait un miracle pour te sauver.

JULIE : Alors, c'est ce que j'attends, un miracle. Si Dieu est là, qu'y me fasse tomber le tonnerre sur la tête, qu'y me change en homme ou qu'y me transporte au ciel sur un char de feu !

MARIE : [*Atterrée*] Julie, tais-toi, tu déparles ! Si tu le penses, dis-le pas, je te le demande en grâce. Moi, y a des choses qui me font peur, y a des choses qu'y faut pas toucher : entre autres la religion. C'est pas de ma faute, j'ai la foi, moi : je crois au bon Dieu et j'aime mieux pas me poser de questions, parce que ça ferait que me mêler davantage. Y faut pas m'en vouloir, Julie, je dois pas être assez brillante pour voir ce que tu vois. Et moi, pour être heureuse, j'ai besoin de croire les yeux fermés.

JULIE : Et peu importe si tu t'aplatis le nez sur les murs, t'avances pareil.

MARIE : Ya quelqu'un qui me guide, Julie, je le crois, c'est vrai.

JULIE : Tu t'es fait guider de travers au moins une fois dans ta vie, en tout cas, quand t'as épousé mon frère.

MARIE : ... C'est peut-être moi qui ai pas suivi la direction que j'avais reçue.

JULIE : Tu t'es mariée suivant ton cœur ? Tu l'aimais ? À ce compte-là, si Dieu est infiniment bon, pourquoi y a permis que tu maries un homme qui t'a laissée là avec un enfant qui est mort de misère !

MARIE : Le bon Dieu a voulu m'éprouver pour savoir si j'étais assez catholique pour supporter l'épreuve.

JULIE : Ah ! ferme-toi, Marie, j'entends la litanie de toutes les femmes du canton dans ta bouche ! Quand leur mari boit, c'est une épreuve ; quand une vache meurt, c'est encore une épreuve ; allons-y d'un lampion ! Quand la récolte pourrit sur le champ, c'est une épreuve ; quand la truie mange ses petits, c'est une épreuve ; allons-y d'une messe pour les âmes ! Ah ! Marie c'est à faire lever le cœur.

MARIE : Julie, si t'as le moindrement de considération pour moi, pour l'amour du ciel, trouble-moi pas. Je sais pas pourquoi je suis sur la terre, c'est vrai ! Que le bon Dieu vienne me chercher, quand y voudra, je veux être prête, parce que je crois au paradis, aux anges, à la Sainte Vierge. Dans toute ma vie, tout ce que j'ai eu, je l'ai perdu. Enlève-moi pas la croyance, c'est tout ce que j'ai pour vivre. Moi, si j'avais pas la foi, penses-tu que je me serais pas flambé la cervelle avant aujourd'hui ? J'ai été assez profond dans le désespoir pour savoir que, si Dieu avait pas été là pour me repêcher, à l'heure qu'y est, je brûlerais en enfer !

JULIE : [*Désespérée*] Marie, si tu crois qu'avec des prières, tu peux me sortir de là, prie tous les saints du ciel ! Qu'y viennent me chercher, qu'y me donnent la lèpre, mais que je cesse de me vendre au diable ! Prie, si tu peux, Marie, moi, je peux pas, je peux pas !

[*On entend quelqu'un qui revient.*]

MARIE : J'entends ta mère dans le tambour.

JULIE : Je monte dans ma chambre. [*Elle monte l'escalier vivement*].

MARIE : Passe-toi de l'eau de Floride sur les tempes, ça va te faire du bien.

[LA MÈRE *entre et s'adresse à ceux qui la suivent.*]

LA MÈRE : Fais entrer Henri qu'y fasse la connaissance de ses tantes.

[*Elle file vers sa chambre.*]

IRÈNE : [*Entrant, suivie d'Henri qui porte un fanal allumé qu'il déposera près de la porte — À* MARIE :] C'est Henri.

MARIE : [*Tendant la main, souriante, allant vers* HENRI :] Mon Dieu...

Irène, tu seras pas à pied avec un gaillard comme lui ! Heureuse d'être enchantée !

HENRI : Moi itou, madame.

[LA MÈRE *revient de sa chambre.*]

LA MÈRE : [*Regardant autour*] Julie est pas là ?

MARIE : Elle est en haut, elle se sentait pas d'équerre tout à fait.

LA MÈRE : [*Appelant vers le haut de l'escalier*] Julie, descends une minute. Irène voudrait te présenter son cavalier.

IRÈNE : [*Enchaînant*] Si ça vous dérange pas trop, ma tante Julie.

HENRI : [*À* IRÈNE] Si elle se sent pas dans son assiette, ta tante, Irène, y faudrait pas...

[*Mais à ce moment,* JULIE *descend. Silence. Elle regarde* HENRI *qui est resté muet en la voyant. Elle regarde les autres et a un moment d'hésitation. Elle descend. Une fois au bas de l'escalier,* IRÈNE *fait les présentations.*]

IRÈNE : Euh !... je vous présente Henri.

[JULIE *a un mouvement imperceptible comme pour lui tendre la main. Il a le même, mais ils ne le font pas.* JULIE *se contente de lui dire poliment et à mi-voix :*]

JULIE : Bonsoir, monsieur.

[HENRI *fait un sourire maladroit, très mal à l'aise.*]

MARIE : [*Pour rompre l'atmosphère*] Restez pas plantés là, prenez des chaises.

IRÈNE : On s'en va, c'est pas la peine, on est venus rien que pour une saucette.

LA MÈRE : Non, non, prenez le temps de vous asseoir. J'ai pas envie que ton futur pense que ta grand-mère a pas de façon. [*À* JULIE] Julie, sers-nous donc un verre de vin de pissenlits.

[JULIE *part sans dire un mot vers la salle à manger.*]

[MARIE *place des chaises pour tout le monde.*]

MARIE : Viens, Irène, à côté de mémère. Et Henri, ici, à côté de moi. [*Riant*] T'es pas jalouse, toujours, ma nièce ?

IRÈNE : [*Amusée*] Avec vous, je suis aussi en sécurité qu'avec ma mère.

MARIE : [*À* HENRI] Tu vois, mon neveu, ta blonde me considère déjà comme une vieille bonne à rien.

HENRI : [*Souriant*] Irène aime ça agacer, y faut pas la prendre au sérieux.

MARIE : Craîns pas, je la connais, je l'ai changée de couche assez souvent...

IRÈNE : [*Rougissante*] Oh ! ma tante Marie...

LA MÈRE : [*Riant, à* MARIE] Tu te souviens comment c'était ragoûtant cette enfant-là ! Potelée, toute rose, la peau comme du papier de soie...

HENRI : Elle est encore pas mal, hein ?

IRÈNE : Si vous continuez, je m'en vais.

MARIE : En tout cas, vous allez faire un beau couple et vous allez avoir des beaux enfants.

IRÈNE : Quand même, on est pas encore mariés.

LA MÈRE : Attendez pas trop ; c'est quand on est jeune qu'on doit penser à se faire un chez-soi.

HENRI : On y pense, craignez pas, mais, comme on est pas de famille en moyen ni l'un ni l'autre, on peut pas compter sur les parents pour nous établir. Y va falloir attendre d'avoir ramassé quelques piastres...

[JULIE *revient avec le vin. Elle le sert en commençant par* LA MÈRE *et en finissant par* HENRI. *On entend les merci, de chacun. Au moment où* HENRI *va prendre son verre, se rendant compte que c'est le dernier...*]

HENRI : [*À* JULIE] Vous en prenez pas, vous ?

JULIE : Non.

[HENRI *prend le verre et dit merci.* JULIE *dépose le plateau. Elle s'asseoit à table et continue à travailler aux échiffes de* MARIE.]

LA MÈRE : À notre santé.
[*Tout le monde boit.* HENRI *avale d'un trait.*]

HENRI : Ah !... je sais pas qui a fait ce vin-là, mais y est pas piqué des vers.

MARIE : Complimente Julie, c'est sa spécialité, le vin de pissenlits. Mémère, c'est le vin de gadelles et moi, je sais pas faire de vin. Toi Irène ?

HENRI : [*À* JULIE] J'en prendrais encore une lampée, si ça vous insulte pas.
[JULIE *se lève et va chercher la bouteille dans la salle à manger.*]

IRÈNE : Henri, t'es pas gêné, t'as pas honte ?

LA MÈRE : Mais non, c'est bon signe, y se sent à son aise.

MARIE : Sans compter que c'est parce qu'y le trouve bon qu'y en redemande.
[JULIE *revient avec la bouteille et en verse à* HENRI.]
[*Il bafouille maladroitement : « Merci ! Merci ! » Elle va porter la bouteille dans la salle à manger.*]

LA MÈRE : Comme ça, vous vous cherchez une terre à acheter ?

IRÈNE : Pour commencer, oui. Ensuite, on pensera au mariage.

HENRI : En premier lieu, y faut l'argent : au moins pour le comptant. Je vas aller passer l'hiver au bois ; au printemps...

LA MÈRE : Si vous voulez vous marier aux Fêtes, j'aurais une proposition à vous faire.

IRÈNE : Quoi donc, mémère ?

LA MÈRE : Étant donné qu'on a un homme engagé à l'année, Henri pourrait travailler pour nous autres, à la place d'un étranger.

IRÈNE : [*Ravie*] Qu'est-ce que t'en dis, Henri ?

LA MÈRE : Naturellement, t'aurais un bon salaire, tu serais logé, nourri, ta femme aussi...

HENRI : Vous voudriez qu'on vienne rester avec vous autres ?

MARIE : Mon Dieu que c'est une bonne idée ; y a des siècles qu'y a pas eu d'homme dans la maison.

[JULIE *entre sur la fin de la réplique.* MARIE *enchaîne :*]

MARIE : Hein, Julie ?

JULIE : [*Elle reste sans rien dire. Va dire quelque chose, puis dit finalement :*] Excusez-moi. [*Elle monte dans sa chambre.*]

[HENRI *la regarde monter et reste les yeux fixés vers le haut de l'escalier.*]

MARIE : [*À mi-voix à* IRÈNE] Ta tante Julie est dans ses mauvais jours !

[IRÈNE *acquiesce de la tête.* LA MÈRE *pose sa question comme si de rien n'était :*]

LA MÈRE : Qu'est-ce que vous pensez de mon projet, toujours ? Vous m'avez pas répondu !

IRÈNE : Euh ! à première vue, c'est tentant, hein Henri ?

[*Il est tiré de son regard vers le haut.*]

HENRI : Euh ! oui, ... oui, ça serait peut-être avantageux...

LA MÈRE : [*Sur le timbre*] Faites-vous-en pas pour Julie. Elle a pas toujours bon caractère, mais c'est une bonne personne, au fond, y faut la laisser passer son bouillon. Quand c'est fini, elle revient d'elle-même...

MARIE : [*Heureuse*] Je peux pas croire qu'on aurait des bébés à dorloter !

IRÈNE : Allez pas trop vite, donnez-nous le temps de...

MARIE : Oui, évidemment, y faut vous donner le temps de les faire.

IRÈNE : [*Rougissante encore*] Ma tante Marie, vous êtes effrayante...

MARIE : Aie pas honte, ma fille, c'est bien ce qu'une femme peut faire de mieux.

HENRI : [*S'amusant*] J'espère que je pourrai mettre mon grain de sel moi itou.

IRÈNE : Ah ! mémère, faites-les taire, y le font exprès.

LA MÈRE : J'ai l'impression qu'y feraient bon ménage ces deux-là, tiens !

IRÈNE : Henri a pas encore donné sa réponse.

LA MÈRE : C'est pas une obligation de me dire oui ou non, dré là, mais, moi, mon offre est faite.

HENRI : Auriez-vous l'intention de vendre, des fois ?

LA MÈRE : Non, pas de mon vivant. Après ma mort, si Julie veut se débarrasser de la terre, ça sera à elle.

HENRI : Je serais peut-être acheteur, moi.

LA MÈRE : Tout ce que je peux faire, c'est te signer une promesse de vente, parce que c'est Julie qui hérite et Marie reste attachée sur le bien, elle itou.

MARIE : [*Riant*] Ce qui veut dire qu'en achetant la terre, t'es obligé de me prendre, veux, veux pas.

IRÈNE : Ma tante Julie, elle ?

LA MÈRE : Non. Julie, une fois la terre vendue, elle retire son argent, c'est tout. Elle est libre de partir ou de rester.

HENRI : Si j'accepte... enfin si on accepte, je pars pas pour les chantiers, autrement dit.

LA MÈRE : Tu pourrais commencer pour nous autres quand tu voudras. J'ai rien qu'à prévenir le père Ludger qu'y se cherche de l'ouvrage ailleurs.

IRÈNE : J'aurai pas grand temps pour finir mon trousseau.

LA MÈRE : Si c'est ce qui t'inquiète, Irène, les ravalements sont bondés de linge de maison.

HENRI : En principe, je serais d'accord, reste à discuter les conditions.

IRÈNE : Y va falloir se décider vite, Henri.

HENRI : [*Se levant*] On va dormir là-dessus, demain on verra.

IRÈNE : Vous m'avez toute énervée, je fermerai pas l'œil, moi. [*Elle se lève.*]

LA MÈRE : T'en passeras bien d'autres nuits blanches quand t'auras des petits, va.

HENRI : [*Gagnant la porte, prenant le fanal*] On va vous donner une réponse au plus coupant, en tout cas. Et c'est pas dit qu'on va refuser. Bonsoir, là !

LA MÈRE : [*Les suivant*] Je vous reconduis sur le perron. [*Elle les suit dehors en se couvrant d'une veste.*]

IRÈNE : [*En sortant*] Bonsoir ! bonne nuit !

MARIE : [*La porte se fermant*] Toi pareillement. [*Elle retourne à son ouvrage.* JULIE *descend l'escalier en regardant vers la porte.*]

JULIE : Ma mère a perdu le nord.

MARIE : Attention Julie, modère tes expressions !

JULIE : Y a pas d'autres mots ! À son âge, recommencer à élever !

MARIE : Ça va égayer la maison d'avoir des petits marmots.

JULIE : C'est le commencement de la fin, Marie ! On va devenir les servantes, les gardiennes, les cuisinières ! Moi, je refuse.

MARIE : Tu devrais être contente, au contraire, toi qui voulais du changement dans la maison.

JULIE : Qu'est-ce que ça nous apportera à nous autres, je te le demande ! Ma mère pense qu'à elle. Les petits, elle les bercera, elle les amusera, elle, mais, qui est-ce qui les lavera ? qui les changera ? qui les rendormira la nuit ? les soignera quand y auront la rougeole, la picote, la coqueluche ? As-tu pensé à ça ?

MARIE : Oh ! notre vie est pas tellement utile comme elle est là, Julie, ça lui donnera un but. Ça nous aidera à amasser des mérites pour le ciel.

JULIE : Viens pas mêler la religion à ça encore une fois.

MARIE : Moi, je prends ça comme un moyen de remplir mon existence. Tu sais, quand y a un vide, là, [*Elle montre son cœur*] y faut essayer de le combler. Jusqu'à maintenant, j'ai tâché de rendre service à ta mère et à toi, si le bon Dieu me demande de...

JULIE : Quand est-ce que tu vas te rentrer dans la tête que c'est pas le bon Dieu qui te demande ça, idiote : c'est ma mère !

MARIE : Je t'en supplie, recommence pas à me chanter pouilles, je peux pas trouver mes mots, dans ce temps-là...

JULIE : Je te demande pardon, Marie, c'est ma façon de dire aux gens que je les aime, peut-être, que de les chicaner.

LA MÈRE : [*Rentrant*] Eh bien ! je pense que j'ai fait une bonne affaire.

JULIE : Vous, oui.

LA MÈRE : Qu'est-ce que tu veux sous-entendre ?

JULIE : Vous le savez aussi bien que moi. Bonne nuit. [*Elle va vers l'escalier.*]

LA MÈRE : [*L'arrêtant*] Julie ! [JULIE *s'arrête dos au public.*] Peux-tu me dire sur quelle herbe t'as pilé.

MARIE : Mémère, vous pensez pas qu'on serait mieux de parler de ça demain ?

LA MÈRE : Tu sais que j'aime pas les choses à moitié finies ; quand j'ai une ampoule, je la crève, même si ça fait mal. Parle, Julie !

JULIE : [*Regardant sa mère bien en face*] Marie a raison, maman ; vous savez que c'est la plus raisonnable de nous trois, attendons à demain.

LA MÈRE : Non, quand je me couche le soir, j'aime bien que le bilan de ma journée soit clair comme l'eau de roche.

JULIE : Eh bien ! ce soir, le bilan de votre journée, y est clair : vous me mettez à la porte.

LA MÈRE : J'aurai tout entendu !

JULIE : Trouvez une autre façon de le dire, si vous voulez, le fait reste le même. [*Elle amorce un mouvement dans la première marche.*]

LA MÈRE : [*À* MARIE] Veux-tu me dire ce qu'elle a mangé ?

JULIE : Ma pauvre mère, ça fait presque quarante ans que je mange le même pain, la même soupe, le même bouillon : y faut pas s'étonner que j'en aie une indigestion de temps en temps.

LA MÈRE : Elle est folle, je vois pas d'autre chose.

MARIE : Allons dormir, ça sera beaucoup mieux !

LA MÈRE : Oui, je préfère aller me coucher, si c'est pour entendre des discours sans queue ni tête. [*Elle amorce un mouvement vers la chambre.*]

JULIE : [*Elle crie :*] Vous avez toujours réussi à me faire plier, mais je vous préviens que maintenant c'est fini !

LA MÈRE : [*Sévère et sans réplique*] Va-t'en dans ta chambre, c'est moi qui commande.

MARIE : Écoutez-moi, remettons ça à un autre jour.

JULIE : Non, Marie, l'abcès est trop mûr : ma mère vient de donner le coup d'épingle qui l'a fait aboutir.

LA MÈRE : Si t'es décidée à parler, parle, mais cesse de fafiner.

JULIE : J'ai une seule chose à dire : si Irène et son mari viennent s'installer ici, moi, je pars.

LA MÈRE : Qu'est-ce que ça t'enlève qu'y s'installent ici ? La maison est pas assez grande à ton gré ?

JULIE : Premièrement, lui, y me déplaît.

MARIE : Pourtant, je l'ai trouvé bien avenant, Julie.

LA MÈRE : Bien sûr, c'est un garçon fiable, Marie, c'est elle qui se fait des idées.

JULIE : Si vous ne voulez pas en démordre, moi, je vous l'ai dit, je m'en vais.

LA MÈRE : Je voudrais bien voir ça.

JULIE : Vous allez le voir, parce que je vous demande mes droits tout de suite.

MARIE : Julie ! mais tu y penses pas ?

JULIE : Qui est-ce qui hérite du bien ? Moi ou les étrangers ?

LA MÈRE : Mais personne a parlé de donner le bien des vieux à d'autres ? Ce sera toi la maîtresse, tu feras ce que tu voudras, après ma mort.

JULIE : Par-dessus le marché, vous voulez leur signer une promesse de vente.

LA MÈRE : C'est logique. Si y viennent rester ici, c'est normal qu'y en retirent un avantage. Et tant qu'à vendre, aussi bien à eux qu'à d'autres.

JULIE : Alors vendez tout de suite.

LA MÈRE : Jamais, tant que j'aurai les yeux ouverts : c'est ici que j'ai vécu, c'est ici que je mourrai : dans MA maison.

JULIE : MA maison, MA fille, MES enfants : tout ce qu'on a été pour vous, on a fait partie de la propriété, comme le roulant, comme les taurailles, comme la cabane à sucre.

LA MÈRE : Julie !

JULIE : [*Elle n'écoute pas.*] Vous auriez voulu avoir encore plus d'enfants pour pouvoir les dominer davantage. Vous étiez LA MÈRE comme si personne avant vous avait donné la vie ! Vous pensiez recommencer le monde à neuf parce que vous aviez une terre de quatre arpents qui vous venait d'une lignée qui était même pas la vôtre.

LA MÈRE : [*Qui gronde comme un orage. Lentement.*] J'aurais dû t'étrangler de mes mains, au lieu de te donner à manger.

JULIE : C'est avec votre lait que j'ai commencé à avoir un goût d'amer dans la bouche.

MARIE : Taisez-vous, vous me faites dresser les cheveux sur la tête.

LA MÈRE : Et y a de quoi, quand on entend une fille parler comme ça à sa propre mère.

JULIE : Je me demande comment j'ai pu faire pour vous endurer aussi longtemps.

LA MÈRE : Le devoir d'une fille c'est d'obéir à ses parents.

JULIE : Jusqu'à maintenant vous m'avez tenue, mais je casse le licou, je prends le bord.

LA MÈRE : Il faudra que tu passes sur ta mère, ma fille.

JULIE : Je passerai.

LA MÈRE : Il me semble que mon sang s'est changé en vinaigre tout d'un coup. J'ai une brûlure qui me mord comme la gelée, à t'entendre.

JULIE : Qu'est-ce que vous pensez que je ressens, moi, quand vous me parlez comme à une enfant de sept ans ? Moi aussi, j'ai du vinaigre dans les veines, et moi aussi, j'ai une brûlure au ventre...

LA MÈRE : [*Suffoquée*] C'est à croire que t'es possédée, pour parler comme ça !

JULIE : Oui, j'ai une armée d'âmes du purgatoire qui se promène dans ma chambre la nuit et qui viendront vous tirer les orteils.

LA MÈRE : Tu chaufferas en enfer pour ce que tu dis : tu seras punie, le bon Dieu se laisse pas insulter sans se venger.

JULIE : Qu'Il se venge, sur moi, sur moi, vous m'entendez ? C'est la grâce que je lui demande, ainsi soit-il ! [*Elle monte deux marches.*]

LA MÈRE : [*Avançant vers l'escalier*] Je souhaite que le tonnerre te tombe sur la tête pour te montrer qui est-ce qui est le maître.

MARIE : Il faut pas provoquer la colère du ciel, c'est trop terrible quand y...

JULIE : T'as rien à craindre, Marie, tu seras toujours épargnée, toi, parce que tu courberas toujours le dos.

MARIE : Je suis pas de votre race, moi, y faut pas me demander d'avoir votre sang dans les artères. Moi, j'ai peur des blasphèmes, je crains Dieu, j'ai peur du ciel : c'est pas ma faute, j'ai été élevée comme ça. On m'a pas appris à défier le tonnerre, et à appeler la foudre pour me revenger.

LA MÈRE : [*À* MARIE] Allume le lampion, Marie, pour chasser le mauvais esprit.

[MARIE *va pour allumer le lampion devant la statue.*]

JULIE : [*L'arrêtant*] C'est pas la peine, Marie, y faut pas écouter les singeries de ma mère.

LA MÈRE : Je croyais jamais vivre assez vieille pour voir ça. Mais il sera pas dit que j'aurai laissé Satan danser autour de ma maison. Demain, tu m'entends, demain, tu iras à confesse et jc te conduirai moi-même jusqu'au confessionnal.

JULIE : Demain ! je partirai demain. Je vous demande mon héritage !

LA MÈRE : Jamais !

JULIE : Vous pouvez pas me le refuser.

LA MÈRE : Ce qui est à moi reste à moi.

JULIE : Vous avez pas le droit de garder ce qui me revient. J'ai le droit du sang, moi.

LA MÈRE : Moi, j'ai le droit du ventre, c'est le seul qui compte.

JULIE : Je vous poursuivrai, mais j'aurai mes droits.

LA MÈRE : T'auras rien ! et tu réussiras pas à me faire mourir.

JULIE : Les enfants devraient avoir le droit de se défaire de leurs parents !

LA MÈRE : Tant que j'aurai un souffle de vie, je resterai maîtresse de la terre, de l'héritage, des bâtiments, de toi. Tu seras maîtresse quand je serai froide.

JULIE : Que ce soit au plus vite !

MARIE : [*Terrifiée, se sauvant en haut*] Mon Dieu, mon Dieu !

LA MÈRE : Prends garde que le diable vienne te chercher cette nuit !

JULIE : Si c'est pour me sortir d'ici, qu'y vienne ! [*Elle monte l'escalier en courant.*]

FIN DU PREMIER ACTE

Acte deux

[*Nous sommes au début de décembre 1913. L'horloge marque 6h30 du soir à peu près. Au lever du rideau,* IRÈNE *est à arroser une plante : un bégonia qu'on appelle ailes d'ange. La plante est posée sur la table.* MARIE *est également debout près de la table, pliant du linge de bébé. Entre deux morceaux,* MARIE *se met à sourire en regardant la plante.*]

MARIE : C'est une vraie beauté de voir ça, Irène. Du moment que tu touches à un bouquet, y change de poil, c'est pas une traînerie. Les ailes d'anges surtout !...

IRÈNE : Je tiens ça de ma mère ; elle pourrait faire pousser des fleurs sur le tuf.

MARIE : Depuis trois ans que t'es avec nous autres, hiver comme été, on a toujours les plus belles plantes du canton.

IRÈNE : J'ai aucun mérite, je sais rien faire de mieux.

MARIE : Entendez-vous ça ! C'est adroite comme tout, fionneuse comme personne et c'est pas contente !

IRÈNE : Oh ! pour l'utilité que je peux avoir... [*Elle porte la plante sur le rebord de la fenêtre.*]

[MARIE *la regarde un peu perplexe.* IRÈNE *vient chercher le pichet qui lui servait à arroser et va le déposer sur la cheminée. Au moment où elle est près de la cheminée,* MARIE *parle :*]

MARIE : Je sais pas si c'est un adon, mais, y me semble que, dernièrement, tu joues pas d'harmonium, comme tu faisais.

IRÈNE : C'est vrai, je joue plus. [*Haussant les épaules*] Ça donnerait quoi ?

MARIE : Ben... je trouvais ça plaisant, moi, de t'entendre. La musique, dans une maison, je sais pas, ça... garnit... c'est joyeux, surtout quand les Fêtes approchent.

IRÈNE : Oui, le jour de l'An s'en vient : dans un mois !

MARIE : Y va falloir commencer à faire nos galettages, nos pâtés à la viande, aussitôt qu'Henri aura fait boucherie, après l'Immaculée-Conception.

IRÈNE : [*Après un léger temps, comme une plainte*] L'hiver !

MARIE : [*Répétant le même mot mais dans un ton différent*] L'hiver !

IRÈNE : [*Répétant encore, comme un son de glas.*] L'hiver !

MARIE : Le printemps est pas arrivé, mon idée, parce que les oignons ont la pelure un doigt d'épais, cette année.

IRÈNE : C'est encourageant.

MARIE : On aura pas le temps de s'ennuyer avec tout l'ouvrage qu'on a de tracé : du filage, de la catalogne, des confortables, du crochetage...

IRÈNE : De quoi trouver le temps encore plus long.

MARIE : Veux-tu te taire !

IRÈNE : Les bancs de neige hauts comme la maison, les fenêtres toutes verglacées, les têtes de clous couvertes de frimas... brrrrrrr, j'en ai des frissons à me faire claquer les dents dans la bouche.

MARIE : Mon Dieu, jamais je croirai que tu vas geler avec un poêle castor dans la cuisine et une tortue dans le passage en haut !

IRÈNE : Non, bien sûr... [*Il y a un temps.*] C'est... en dedans que j'ai froid ; on dirait.

MARIE : T'es pas encore Samson, non plus. Ta petite dernière est tannante la nuit, ça fait que, le jour, quand t'as manqué de sommeil, t'es plus frileuse.

IRÈNE : Je frémis à propos de rien. Il y a des jours où... [*Elle s'arrête.*]

MARIE : Où quoi ?

IRÈNE : Rien.

MARIE : Fais-moi pas de cachettes, Irène, je te fais baiser ton pouce.

IRÈNE : [*Souriant malgré elle. Puis, après hésitation*] Il y a des jours où je sens... comme rôder autour de moi.

MARIE : [*Amusée*] À ton âge, dis-moi pas que tu crois encore aux revenants ?

IRÈNE : Non !... je pourrais pas vous dire exactement ce que c'est, mais ça transpire des murs, ça se promène un peu partout ici dedans.

[*La porte s'ouvre et* HENRI *entre et reste sur le tapis près de la porte. Il parle en entrant.*]

HENRI : À quelle heure vous voulez que j'attelle pour descendre au village ?

MARIE : Aussitôt que mémère et Julie seront revenues de leur bi de couvre-pieds, on pourra partir, hein, Irène ?

HENRI : [*Regardant l'horloge*] Elles sont pas encore de retour à cette heure-là ?

MARIE : Ah ! les corvées, des fois, ça se prolonge, quand tu veux finir de piquer ce que t'as sur le métier.

HENRI : Bon ! je commence à être accoutumé à attendre vos appoints. [*Il sort.*] Je viendrai vous cri quand la jument sera parée.

MARIE : [*Le regardant aller*] Ho donc ! Y a pas l'air sur le piton, lui non plus. Ça paraît qu'on est dans les grand-mers, ça le rend marabout... [*Elle a fini de plier le linge.*]

[*Temps.* IRÈNE *a regardé sortir son mari.*]

IRÈNE : Je vais vous dire une chose folle, ma tante.

MARIE : Dis.

IRÈNE : Vous allez rire de moi.

MARIE : Si tu vaux pas une risée...

IRÈNE : [*Hésitante*] Quand... quand je suis pas en famille, j'ai l'impression d'être inutile.

MARIE : Donne-toi le temps de souffler, au moins. Deux enfants en trois ans de ménage...

IRÈNE : Je me sens seule du moment que le petit est sevré...

MARIE : Mais voyons, t'as ton mari ! ça compte dans la vie d'une femme, son mari.

IRÈNE : Oui. Mais il y a tellement de femmes ici que la différence serait pas grande si j'y étais pas.

MARIE : [*Riant*] Tu voudrais te faire dire qu'on peut pas se passer de toi, hein, petite bougresse !

IRÈNE : [*Blessée et la voix tremblante*] Oh ! non, je sais que vous pourriez vous passer de moi, mon mari aussi et mes enfants itou.

MARIE : Irène !... [*Elle va vers elle.*] Ma petite poulette !... [*Elle la prend par le bras, la retourne et lui prend le menton.*] Mais t'as les yeux pleins d'eau ?... Ça fond comme un glaçon au soleil, tellement c'est tendre ce petit cœur-là. [*Elle la prend dans ses bras.*] Ma belle catin !... [*Attendrie*] J'ai pas voulu te faire de peine, j'ai dit ça pour... parler !... Tu sais, y faut pas que t'attaches de l'importance à tout ce que ta tante peut dire ! J'ai besoin de me faire aller la parlette... On a chacun sa façon de meubler son existence... L'important, c'est de pas garder de vide en dedans, de combler les manques par autre chose, n'importe quoi, même si c'est seulement des niaiseries ! Mais y faut se calfater à tout prix, si on veut pas que la marée nous coupe le respir !... [*Prenant le visage d'*IRÈNE *dans ses mains*] Irène... rien ni personne est inutile sur la terre, rappelle-toi ça ! [*Souriant à nouveau*] depuis monsieur Laurier, à Ottawa, jusqu'à la bête puante qui se cache en dessous de la bergerie.

[IRÈNE *sourit à sa tante. Elle frotte ses mains nerveusement.*]

IRÈNE : Dites-moi de quoi j'ai peur ?

MARIE : Comment veux-tu que je te réponde ? La plupart du temps, c'est de nous autres mêmes qu'on a peur, sans se l'avouer. C'est qu'on manque de courage : on a l'impression que le bon Dieu s'occupe plus de nous...

IRÈNE : [*La coupant, nerveuse*] Non, ma tante, c'est une menace qui plane au-dessus de ma tête. Mon intuition me trompe jamais.

MARIE : T'es pas infaillible...

IRÈNE : Quand papa est mort, l'an dernier, rappelez-vous, je l'avais pressenti un mois avant et il était même pas malade. Un homme de 40 ans.

MARIE : Le corps barré, ça pardonne pas souvent, tu sais, quarante ans ou pas.

IRÈNE : Au mois de juin, j'ai eu un pressentiment et il est mort en juillet.

MARIE : T'étais pas encore remise de ton premier bébé, t'étais pas forte, comme maintenant après ton deuxième. Ton imagination est plus aiguisée, c'est comprenable. Prends vent un peu, va pas trop vite !

IRÈNE : [*Respirant profondément comme quelqu'un qui est nerveux intérieurement*] Que j'aime pas être oppressée comme ça ! [*Les mains à l'estomac*]

MARIE : J'ai jamais eu le moindre pressentiment, ni bon, ni mauvais.

IRÈNE : Oh ! même si on pressent des avaries, est-ce qu'on peut les empêcher ?

MARIE : On peut s'y préparer, le coup est moins dur à avaler, peut-être.

IRÈNE : Pourquoi, quand on se marie, on est tellement sûre qu'on sera plus jamais seule au monde ? Pourquoi on croit que c'est le bonheur qui nous attend ?

MARIE : Parce qu'on en est tous là à chercher le bonheur sur la terre. Mais y est de l'autre côté, le paradis. Ici, c'est la vallée de larmes.

IRÈNE : J'ai pas la vocation des larmes, moi. [*Révoltée*]

MARIE : Nous autres, les femmes, on habite souvent une planète qui existe pas. Puis, un beau jour, une douleur au ventre nous ramène dans la réalité et on donne la vie à un enfant qu'on avait fait dans un pays étranger.

IRÈNE : Même avec deux enfants qui dorment dans leur ber et un mari qui ronfle à mes flancs, la nuit, j'ai l'impression d'être couchée dans l'espace. C'est comme si la paillasse était un radeau dont les billots seraient pas attachés.

MARIE : Je pense qu'on passe toutes par là, un jour ou l'autre. Désespère pas : si t'as besoin de te sentir utile, comme tu dis, prie le bon Dieu qu'il t'exauce.

IRÈNE : Prier !... prier !... à quel saint me vouer, pour qu'il m'enlève la solitude que j'ai au cœur et le vide que j'ai là ! [*Elle se serre le ventre en refoulant ses larmes.*]

MARIE : [*Très douce*] Tu devrais voir le père de la retraite après le sermon, à soir. Y pourrait te conseiller, lui, bien mieux que moi. De mon côté, je vais faire brûler un cierge à tes intentions et je suis certaine que tu vas te sentir plus vaillante ensuite.

IRÈNE : Si vous saviez comme c'est difficile de vivre ici. On sent le monastère... Que des femmes !... Et moi, moi aussi, je peux pas mettre au monde un garçon : j'ai deux filles. [*À* MARIE] C'est cette espèce de malédiction qui pend au-dessus de ma tête qui me fait peur, je le sais, la maison est contre moi. Plus je la regarde, plus elle m'effraie. La moisissure qui pousse partout finira par me rendre stérile, un jour.

MARIE : Ma petite chatte ! Parle pas comme ça. Y suffit que tu sentes à nouveau la vie en toi pour redevenir heureuse. Tu peux me croire, Irène, le pire châtiment pour une femme, c'est pas d'être stérile, surtout, c'est d'être réduite à laisser dormir la meilleure partie d'elle-même pour l'éternité. T'as l'espoir, toi, perds le pas.

IRÈNE : Est-ce qu'il faut que je commence déjà à courir après mon bonheur, à 21 ans ?

MARIE : Le bonheur, c'est un malheur qu'on apprivoise, au fond. [*Souriant*] T'as bien réussi à apprivoiser un siffleux déjà !

IRÈNE : Les bêtes c'est pas comme les choses...

MARIE : ... ou comme les humains.

IRÈNE : C'est peut-être pas la maison qui m'effraie le plus. C'est peut-être les gens, surtout.

MARIE : [*Souriant*] Lesquels ? Pas moi, toujours ?

IRÈNE : Non ! vous, vous êtes comme un canard blanc dans une couvée de canards sauvages...

MARIE : T'aurais pu trouver mieux qu'un canard, franchement.

IRÈNE : Vous me comprenez ! J'aime pas le canard sauvage : la chair est noire et le goût est trop fort.

LA MÈRE : [*La porte s'ouvre et* LA MÈRE *entre suivie de* JULIE. *Filant vers sa chambre*] On va avoir une bordée de neige, m'est avis.

JULIE : Y va falloir s'encabaner comme des ours, déjà. Misère !

MARIE : [*À* LA MÈRE *qui est rendue à la porte de sa chambre*] Avez-vous envie d'aller à la retraite quand même ?

LA MÈRE : Comme de bonne. Y faut aller à confesse pour communier demain matin. On restera à coucher au village chez Agathe. D'abord, on a notre place d'écurie, puis on sera pas inquiets, Julie va garder les enfants. [*Elle entre dans sa chambre.*] Dépêchons-nous, on va être en retard !

JULIE : [*À* MARIE *et* IRÈNE] Habillez-vous chaudement, y fait un froid de loup.

IRÈNE : [*Montant à sa chambre*] Je monte chercher mon manteau et ma tourmaline.

MARIE : [*À* JULIE] Je peux faire la gardienne avec toi, si tu veux, Julie. Moi, tu sais, la retraite des gens mariés, pour le peu que je le suis...

JULIE : Vas-y, Marie, vas-y... Je coucherai les petites dans ma chambre. Pour une nuit...

MARIE : Je monte me greyer, en ce cas-là ! [*Elle monte.*]

[LA MÈRE *revient de la chambre avec son chapeau sur la tête. Elle met son manteau, ses gants, etc... pendant qu'elle donne ses ordres.*]

LA MÈRE : [*À* JULIE] Tu feras attention au feu, Julie.

JULIE : Oui.

LA MÈRE : Henri a rempli le trou à bois, d'érable.

JULIE : Parfait.

LA MÈRE : Tu mettras une grosse attisée dans la tortue pour la nuit.

JULIE : Oui, je sais tout ça.

LA MÈRE : Tu iras faire une tournée à la grange avant de te coucher.

JULIE : Oui, j'irai.

LA MÈRE : On va revenir tout de suite demain matin après la messe de communion.

JULIE : Pas besoin de vous presser, le train attendra, les vaches donnent rien qu'une traite par jour, ces temps-ci.

[HENRI *passe la tête dans la porte d'entrée et lance :*]

HENRI : J'attelle, tenez-vous sur le quai ! [*Il referme la porte aussitôt.*]

[MARIE *descend en s'habillant*]

MARIE : As-tu des commissions à faire faire, Julie ?

JULIE : Si tu vas magasiner, achète-moi du fil à tricoter, écru.

MARIE : Y faut que j'aille me chercher des boutons d'écaille pour la matinée pivelée que je suis en train de finir, justement.

LA MÈRE : Fais-moi penser, Marie, y faudra qu'Henri arrête au moulin à scie pour savoir quand le bois va être prêt pour doubler le plancher de la dépense.

MARIE : Oui... On devrait peut-être prendre une couverture pour s'abrier ?

LA MÈRE : Oui. [*À Irène en haut*] Irène, descends donc une couverte d'étoffe, ma fille.

MARIE : J'espère qu'y fera pas trop froid dans l'église, j'ai gelé dimanche passé, pendant le sermon.

LA MÈRE : À la prochaine criée des bancs, je me demande si je me déciderai pas à en acheter un dans la nef, pas loin de la balustrade. Je commence à trouver l'escalier du jubé pas mal raide à grimper.

MARIE : Il fait plus chaud en bas aussi...

JULIE : D'autant plus que de notre place, on entend rien de ce qui se dit au prône, tellement y a de l'écho.

MARIE : [*Amusée*] Faut dire que le curé bredouille la plupart du temps. J'ai jamais pu comprendre son jargonnage, moi en tout cas. T'es pas comme moi, Julie ?

LA MÈRE : Voyons, voyons, un peu de respect !

MARIE : Ah ! c'est un saint homme, je dis pas le contraire, mais j'espère que le bon Dieu a l'oreille plus fine que moi, parce que...

[*La porte s'ouvre et* HENRI *entre.*]

HENRI : Êtes-vous prêtes les créatures ?

LA MÈRE : Oui, oui. Ah ! Henri, on a décidé de passer la nuit au village.

[IRÈNE *descend, tenant la couverture sur les bras et un tricot pour son mari.*]

JULIE : [*À* HENRI] J'irai à l'étable avant de me coucher, pars tranquille.

IRÈNE : [*Tendant le gilet à son mari*] Tiens, mets ton chandail sous ton coupe-vent.

HENRI : Ça sera pas nécessaire, je peux pas aller avec vous autres.

LA MÈRE : En quel honneur ?

HENRI : La rougette est malade.

LA MÈRE : Seigneur ! une bête de ce prix-là ! Perds pas de temps, va lui entonner une ponce, au plus vite.
[IRÈNE *dépose le gilet sur le dossier de la chaise.*]

MARIE : [*Se dirigeant vers la sortie*] Puisqu'on perd notre charretier, c'est moi qui prends les cordeaux, venez-vous-en. [*Elle sort.*]

[LA MÈRE *et* IRÈNE *suivent.*]

IRÈNE : [*En sortant, à* JULIE] J'espère que vous aurez pas trop de fil à retordre avec les enfants. [*À* HENRI] Tu lui donneras un coup de main, Henri.

JULIE : Sois pas inquiète, je peux me débrouiller toute seule, sans peine.
[HENRI *sort. Porte fermée.* JULIE *va pour prendre le gilet d'*HENRI, *puis elle le laisse là. Elle prend le linge d'enfant qui reste sur la table. Il y a un temps de silence. Elle revient vers le gilet qu'elle prend de sa main libre et va l'accrocher près de la porte. Puis elle prend ses vêtements qu'elle avait enlevés en entrant de dehors plus tôt et monte le tout à sa chambre. Au bout d'un instant, la porte s'ouvre et* HENRI *rentre. Il enlève ses bottes sur le tapis et les place à terre sous son gilet pendu. Il enlève sa chemise, sous laquelle il a un sous-vêtement de laine sans manches. À ce moment,* JULIE *descend. Elle a un petit mouvement d'arrêt puis, descend finalement.*]

HENRI : Les petites dorment ?

JULIE : Oui. [*Elle va prendre un ouvrage de tricot au crochet qu'elle continue — fil écru.*]
[HENRI *va poser sa chemise sur le dossier de la chaise.*]

HENRI : Ça fait du bien d'être tranquille.

JULIE : On peut entendre promener l'ennui.

HENRI : J'aime mieux ça qu'écouter jaspiner les femmes à cœur de veillée.

JULIE : Pour le peu de temps que tu te tiens dans la maison...

HENRI : Je préfère rester à la grange.

JULIE : T'as pas dit que t'avais une vache de malade ?

HENRI : Oui, je l'ai dit.

JULIE : Comment ça se fait que tu ailles pas la soigner ?

HENRI : C'est simple, je voulais avoir la paix, je me suis inventé une menterie.

JULIE : La rougette est pas malade ?

HENRI : Non.

JULIE : T'aurais pu dire tout simplement que tu voulais pas y aller à la retraite, ça aurait été plus franc.

HENRI : Probable. Mais je connais mémère quand y est question de religion. Je serais déjà chez le yable.

JULIE : Ma mère a le droit de...

HENRI : Bon ! bon ! bon ! vous allez pas commencer à la défendre en plus, je sais que vous pensez pas un mot de ce que vous dites...

JULIE : ... Je te prierais de peser tes paroles.

HENRI : C'est plus le temps de jouer à colin-maillard avec moi, vous savez.

JULIE : Qu'est-ce qui te prend aujourd'hui de me parler sur ce ton-là ?

HENRI : Oh ! disons que je pense que le moment est venu de mettre nos atouts sur la table.

JULIE : ... Si t'as des plaintes à faire, c'est à ma mère qu'y faut les porter.

HENRI : Qui vous a dit que c'était des plaintes, d'abord ? Et

	ensuite pourquoi je les adresserais à mémère ? C'est seulement une des six femmes de la maison.
JULIE :	Alors de laquelle d'entre nous veux-tu te plaindre ? De moi, de Marie, de tes filles, de qui ? Tu peux toujours pas nous accuser de te faire la vie dure ?...
HENRI :	Pas la vie dure, non, au contraire. Je suis bien usé, bien nourri, bien logé, mais je suis tanné d'avoir quatre femmes à mes trousses pour me dâdicher et deux autres pour me brailler dans les oreilles.
JULIE :	Y a bien des hommes qui voudraient se voir à ta place, n'empêche.
HENRI :	Tellement qu'y a des jours que j'ai envie de partir.
JULIE :	Ça serait peut-être une solution...
HENRI :	En tout cas, ça ferait votre affaire, à vous.
JULIE :	Pourquoi tu dis ça ?
HENRI :	Parce que j'ai entendu malgré moi, l'autre jour.
JULIE :	T'as entendu quoi ?
HENRI :	En passant à côté de la cabane au lait, ma tante Marie et vous, vous jasiez. Vous avez prononcé mon nom, j'ai prêté l'oreille, j'ai compris.
JULIE :	Alors, tu sais ce qui te reste à faire.
HENRI :	C'est la grand-mère qui m'a engagé, je vous ferai remarquer.
JULIE :	Oui. Seulement qu'y faut pas que tu oublies que je suis l'héritière, moi.
HENRI :	Après la mort de la vieille, pas avant. Et elle a pas l'air à vouloir lever les pattes cette année.
JULIE :	Peu importe, je suis chez nous, ici. Et, avant que j'en parle à maman, tâche de te décider.
HENRI :	Bon ! Je pourrais savoir pourquoi vous me mettez dehors ?
JULIE :	[*Agressive*] Quand on est dans sa maison, on a pas de

prétextes à fournir, pour demander aux étrangers d'en sortir.

HENRI : [*Sur le même ton*] J'ai jamais demandé à venir ici, moi. J'étais prêt à m'établir n'importe où, à acheter une terre, à faire mon nique où je voulais. C'est rien que parce que mémère s'est plaint qu'y avait pas d'homme dans la maison et que ma présence serait bienvenue que je me suis décidé. Sans ça, j'aurais bâti ma cabane ailleurs et j'aurais pas eu à supporter un troupeau de femmes pendant trois ans.

JULIE : J'ai jamais été sur tes talons que je sache et je t'ai toujours laissé agir à ta guise, tu peux pas m'accuser. Pas une seule fois, j'ai dit un mot contre toi ou contre ton travail.

HENRI : Vous auriez été mieux de critiquer plus tôt, au lieu d'attendre pour me sacrer dans le chemin comme vous le faites aujourd'hui.

JULIE : On endure jusqu'à la limite et, quand la mesure est pleine, elle renverse.

HENRI : Mais pourquoi ? pourquoi ? Y a pas moyen de savoir seulement une petite raison qui pourrait avoir un semblant de bon sens ? Inventez-en une au moins, mais dites-moi quelque chose. J'aime encore mieux me faire chanter pouilles que de me faire mettre sur le perron sans un mot d'explication.

JULIE : [*Finale*] J'ai pas de comptes à te rendre.

HENRI : Parfait ! je vous demande plus rien ! La grand-mère, par exemple, elle, y faudra qu'elle m'explique, sans ça...

JULIE : Ma mère sera la première à te dire que les enfants la fatiguent et qu'elle est plus d'un âge à recommencer à élever une famille.

HENRI : Mais, quand elle nous a demandé de venir rester ici, elle s'attendait quand même pas qu'à notre âge on ferait pas d'enfants ? C'est pas parce que vous êtes une potée de femmes sans hommes que, moi, je vas m'empêcher de faire des enfants ?

JULIE : Personne t'empêche de faire des enfants, mais va les faire ailleurs !

HENRI : On dirait à vous entendre qu'on a des enfants à tous les ans par plaisir. Le mariage, si vous le savez pas, ça nous oblige à des devoirs.

JULIE : En ce cas-là, puisque c'est le curé qui t'a donné des devoirs le matin de tes noces, va lui demander de te loger et de te payer un salaire.

HENRI : [*Insulté*] Le salaire que j'ai eu ici, je l'ai gagné, avec mes bras : j'ai gagné le pain que j'ai mangé, je l'ai pas volé.

JULIE : On est quittes, tu peux partir.

HENRI : Et si je refusais de partir ?

JULIE : Attends pas que je sois rendue à bout, va-t'en.

HENRI : [*Violent*] J'ai pas d'ordre à prendre d'une... [*Il s'empêche d'aller trop loin et de la traiter de vieille fille. Il essaie de s'adoucir.*] J'ai jamais compris pourquoi on est pas capables de se parler sans se chicaner... J'étais pourtant décidé à discuter calmement. Je pensais que si on était tout seuls, on parlerait comme du monde !... Mais non, on est en train de se crier par la tête ! Tant pis !

JULIE : On est deux soupes au lait, Henri, tu le sais. On peut pas s'entendre.

HENRI : Ah ! je vous comprends de vous monter pour défendre votre terrain, mais je comprends pas que vous vouliez pas que je défende le mien.

JULIE : C'est ma mère qui t'a engagé, tu dis ! C'est vrai, c'est elle. Elle seule. Parce que, moi, j'étais contre ! Je me suis rebellée, j'ai menacé de partir, y a eu rien à gagner. Ma mère m'aurait déshéritée. Je suis restée... Ma mère est une mule, tu la connais. Quand elle a décidé, y faut plier ou casser. Y suffit que tu te montres d'un avis différent, c'est assez pour qu'elle s'entête encore plus. J'ai rien obtenu par la menace, jamais. Sinon que ma vie a été bousculée et que je peux pas continuer à vivre comme ça. Je t'avouerai qu'au début, j'ai essayé de m'y faire. J'ai voulu vous accepter ; y a pas moyen, je le sais maintenant... Je suis une vieille fille. Henri, j'ai mauvais caractère, je peux pas tolérer le tapage, les cris, les larmes d'enfants. Et... [*la voix cassée, devenue hargneuse*] j'en ai assez de vous voir vous regarder comme des chiens de faïence, ta femme et toi. Allez vous faire la grosse gueule ailleurs, et laissez-nous le peu de paix qu'on peut avoir.

HENRI : [*Abasourdi*] Je parviendrai jamais à vous suivre, vous autres, les femmes. Vous êtes comme les lièvres, on peut pas savoir de quel côté vous allez faire un saut.

JULIE : Les femmes suivent leur chemin comme elles peuvent, surtout, si elles sont obligées de le tracer elles-mêmes.

HENRI : Et quand y se présente un homme qui pourrait le tracer pour elles, elles le poussent dans le fosset.

JULIE : Tu peux pas plaire à quatre femmes, t'as raison. Même avec la meilleure volonté, c'est pas faisable. Ton devoir te prescrit de faire route avec une seule femme, celle que t'as mariée. Pars avec elle. Nous autres, notre écheveau se dévidera comme avant, lentement, tristement... Pourquoi t'acharner dans une maison aussi malsaine ? Toi, tu peux partir. Moi, je suis rivée ici, comme les poutres au plafond. À force de vivre dans un bocal, on finit par plus avoir besoin d'air nouveau, on se contente de respirer le moins possible, juste ce qu'y faut,

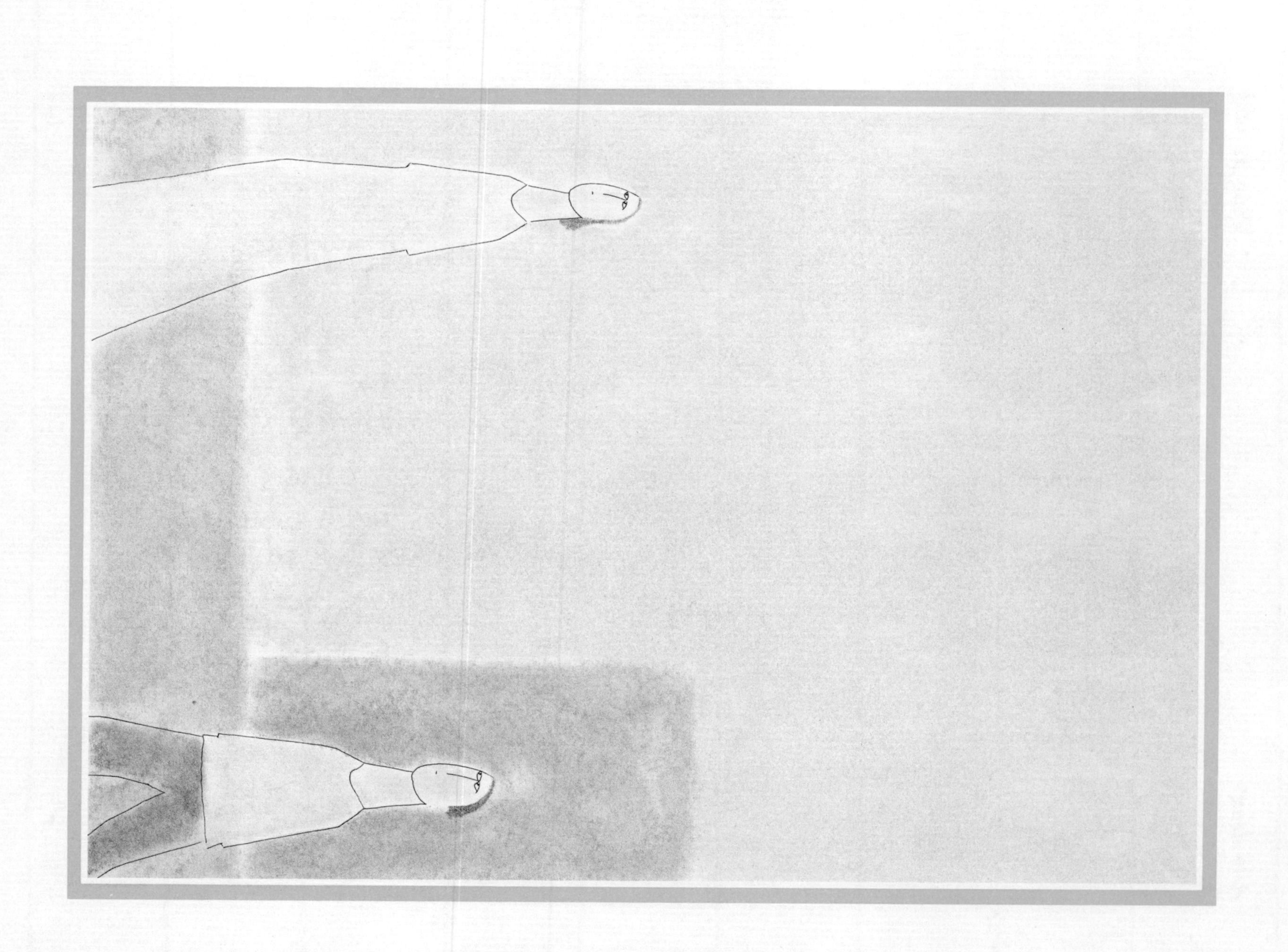

pour entretenir la vie. Va-t'en, Henri, pendant que c'est encore le temps. Ta vie est trop nécessaire à ta famille pour risquer de l'empoisonner ici... en empoisonnant aussi celle des autres ! [*Elle est au bord de l'émotion.*]

HENRI : [*La regarde longuement et laisse tomber le silence.*] Julie !

JULIE : Je te défends de m'appeler Julie, je suis pas de ton âge.

HENRI : Et après ? Y a moins de différence entre nous deux qu'entre ma femme et moi.

JULIE : Y a une chose entre ta femme et toi qu'y aura jamais entre nous ! un sacrement.

HENRI : Qu'est-ce que ça change ? Le mariage empêche pas de...

JULIE : [*Tranchante*] Oui, dans notre religion, ça empêche.

HENRI : Pas moi. Depuis trois ans, je regarde autour de moi.

JULIE : T'en as pas le droit, t'as juré fidélité à l'autel.

HENRI : Et toi, à qui t'as juré fidélité ?

JULIE : J'ai voulu rester libre.

HENRI : T'appelles ça être libre que de te marcher sur le cœur et le corps ?

JULIE : Je tc défends de me tutoyer.

HENRI : Penses-tu que je te vois pas te morfondre depuis des mois ?

JULIE : Tu sais pas ce que c'est d'être femme.

HENRI : Toi non plus.

JULIE : Tais-toi !

HENRI : Non, Julie. Moi aussi, je me morfonds depuis des mois à te voir tourner dans la place. Y a quelque chose entre nous que tu peux pas empêcher d'être et... c'est pour ça que tu veux que je parte.

JULIE : Y a rien entre nous. Y peut rien y avoir.

HENRI : On est du même bois, Julie, oublie pas.

JULIE : C'est pour ça qu'on pourra jamais s'entendre...

HENRI : Pourquoi te révolter contre ça ?

JULIE : Contre quoi ?

HENRI : Contre ce que tu sens au milieu de toi et qui te brûle.

JULIE : Tais-toi ! Si t'as pas autre chose à me dire, monte donc te coucher.

HENRI : Non ! je vas parler, malgré toi.

JULIE : En ce cas-là, moi je vas monter. [*Elle se dirige vers l'escalier ; il se met debout sur la première marche pour lui barrer le chemin.*] Laisse-moi passer !

HENRI : Écoute-moi avant.

JULIE : Henri, pousse-moi pas à bout.

HENRI : Je vois pas ce que ça pourrait changer au point où tu en es.

JULIE : Tu vas réussir à te faire haïr, si tu continues.

HENRI : Ça sera peut-être mieux : ça sera une autre façon de s'aimer.

[*Elle perd pied et préfère s'en aller vers la chambre de* LA MÈRE.]

HENRI : Tu vois ? C'est rendu que tu peux même pas entendre le mot sans avoir peur.

[*Elle s'arrête dans l'embrasure de la porte. Elle porte la main sur le cadre de la porte en crispant les doigts.*] [HENRI *a vu l'effet qu'il a produit. Il prend son temps et descend de la marche. Il parle très doucement.*]

HENRI : Julie !

[*Elle tourne la tête à demi sans répondre.*]

HENRI : Julie ! peux-tu me dire pourquoi, chaque fois que je passe proche de toi, y a comme un éclair qui me frappe.

JULIE : [*Elle a réussi à reprendre contrôle. Elle répond durement et dégage à l'autre bout de la pièce*] L'éclair, c'est signe d'orage, prends garde, va-t'en.

HENRI : Julie ! quand la journée est tellement pesante que le vent peut même pas souffler ! que la chaleur mouillée imbibe ton linge de corps jusqu'à le souder à tes reins ! quand le soleil cuirait un œuf sur la pierre et qu'y plombe sur ton champ d'avoine comme un miroir ! que les bêtes se calent dans la vase du ruisseau pour trouver la fraîche de la glaise ! quand la terre crevasse, que la récolte brûle, que les patates échaudent et que les vaches tarissent, toi aussi, t'as la langue sèche et tu bénis les nuages qui s'entassent et t'attends que l'éclair t'aveugle et que le tonnerre t'abasourdisse pour qu'enfin la pluie tombe : qu'il tonne, que le ciel crève, qu'il mouille à verse ! Tu voudrais te voir comme Adam, tout nu, au milieu de la nature pour la boire par toutes les pores de ta peau. La terre peut pas fournir à envaler et elle se laisse couler l'eau sur le dos comme toi, à bout de souffle, délivrée.

JULIE : Mais que la foudre tombe, tu es là, à même le sol et c'est sur toi qu'elle s'abat. J'ai rien fait pour mériter un châtiment, moi.

HENRI : Moi non plus, j'ai rien fait pour t'aimer. Ça m'est poussé là, comme la moutarde dans le clos de trèfle.

JULIE : La moutarde, pour s'en débarrasser, y faut l'arracher et la jeter au feu, sans ça y en a dix fois plus la saison d'ensuite.

HENRI : Tant pis pour moi, je t'aimerai dix fois plus l'année prochaine.

JULIE : Elle finira par t'étrangler, comme elle étrangle la récolte.

HENRI : Tu seras responsable.

JULIE : C'est facile de m'accuser.

HENRI : Non, je t'accuse pas, Julie. C'est pas ta faute si les vagues de tes cheveux me mettent à l'envers.

JULIE : [*Suffoquée*] Henri, je t'en supplie, continue pas à me réveiller, laisse-moi dormir, au fond de moi.

HENRI : Alors, pourquoi avoir éveillé ça en moi ? Pourquoi m'avoir donné un besoin qui me darde comme une flèche ?

JULIE : [*Elle retient un sanglot en mettant ses mains sur sa bouche, puis elle court vers l'escalier qu'elle monte à quelques marches près et s'écrase en larmes en répétant :*] Laisse-moi dormir, laisse-moi dormir, laisse-moi dormir !

HENRI : [*Après l'avoir laissé se calmer un peu, il approche de la rampe de l'escalier et, très doucement, lui parle à travers les barreaux.*] Ça vaut mieux que je m'en aille, Julie ?

JULIE : Oui, pars, Henri ! Laisse-moi prendre la couleur des murs, petit à petit. Je disparaîtrai vite, tu verras. Je finirai par me confondre avec le néant, tu sauras même plus que j'existe.

HENRI : Mais moi, je pourrai pas m'abîmer dans le vide, y faudra que je continue à nourrir mes enfants ! Y faudra que je sois là ?

JULIE : Oui, Henri, y faut que tu meures près de ta femme, au milieu de tes petits, c'est ce que t'as promis en te mariant.

HENRI : [*Il donne un coup de poing sur la rampe.*] Pourquoi y faut vivre enchaîné ?

JULIE : Pour la même raison que tu mets des carcans aux moutons et que tu coupes les ailes aux oies.

HENRI : Je suis un homme, pas une bête. C'est la même force qui les fait se trouver à des milles de distance et se rejoindre pour s'accoupler qui attire un homme et une femme.

JULIE : Les animaux suivent leur instinct.

HENRI : Pourquoi étouffer le tien, Julie ? Pourquoi vouloir empêcher ce qui nous est arrivé sans qu'on s'en aperçoive ? Pourquoi me défendre de t'aimer ?

JULIE : [*Mettant ses mains sur la rampe*] Parce que moi, je t'aime pas.

HENRI : [*Posant ses mains sur les siennes*] Tu te forces à me dire des bêtises pour me revirer contre toi, mais tu réussiras pas, j'ai le front aussi dur qu'un taureau, t'apprendras ! [*Il présente son front.*] Fesse ! en plein front ! Essaye de m'entrer dans la tête que tu m'aimes pas, toi aussi !

JULIE : [*Dégageant ses mains*] Si je t'aimais, ni Dieu ni homme pourrait le savoir... [*Se raidissant :*] J'ai passé l'âge d'aimer ! j'ai plus de cœur !... [*Elle porte ses mains à ses tempes. Souriant tristement*] Tu m'as fait monter le sang aux tempes... [*Descendant l'escalier*] Mon père était comme moi, y paraît : le rouge lui montait au visage pour un rien... [*Elle va à l'armoire où se trouve un pichet recouvert d'un linge de toile*] Il suffit d'un coup d'eau... [*Elle prend la tasse qui est accrochée tout près et boit.*]...

[*Pendant ce temps,* HENRI *passe à la fenêtre.*]

JULIE : [*Ayant bu*] Ça va mieux !...

[*Il y a un silence. Puis elle essaie de parler très dégagée. Elle regarde l'horloge.*]

JULIE : On a soupé tellement de bonne heure, t'as peut-être une fringale ? Voudrais-tu une pointe de pâté aux pommes avec une bolée de lait ?

HENRI : J'ai pas faim.

JULIE : Bon ! [*Elle prend son tricot qu'elle s'apprête à ranger.*]

HENRI : Oui, Julie, donne-moi du pâté aux pommes.

[*Elle va à l'armoire pour couper le pâté et le servir. Il s'approche de la table et s'y assoit en attendant. Elle lui apporte l'assiette.*]

JULIE : Tiens ! il est frais fait d'aujourd'hui.

HENRI : Merci ! [*Il ne peut résister à sa présence près de lui. Il enlace sa taille de ses bras et colle sa tête sur sa poitrine. Elle n'ose réagir. Il ne bouge pas. Elle non plus. Au bout d'un moment, il parle :*] Enfin, j'entends battre ton cœur.

JULIE : [*Tremblante*] Je peux pas l'arrêter, y m'échappe !

HENRI : Quand tu réussis à attraper un oiseau, c'est comme ça. Tu sens cogner son cœur dans le creux de ta main.

JULIE : C'est la peur !

HENRI : C'est si facile à briser un oiseau, quand on le tient.

JULIE : Tout ce qu'y demande, lui, c'est que la main s'ouvre et qu'y puisse s'envoler.

[*Il défait ses bras. Elle reste immobile.*]

JULIE : [*Aux larmes*] Mais y est trop bête pour partir, y reste là paralysé.

[*Il l'enlace à nouveau très lentement. Elle n'ose pas le toucher encore.*]

JULIE : Y peut plus bouger, le pauvre oiseau. Y a senti une douceur qu'y a jamais éprouvée auparavant. Partout dans ses veines court la chaleur d'un été inconnu qui le saoule à lui donner le vertige. Même si y voulait agiter les ailes, la prison de la main s'est resserrée sur lui et y ferme les yeux pour s'empêcher de perdre l'équilibre. Pour la première fois, y craint de tomber dans le vide, y sent plus ses ailes assez fortes pour le porter, y voudrait attraper une branche pour se poser, y peut pas, y s'agrippe à la main qui le tient, y essaie plus de fuir, son cœur se calme, y traverse un arc-en-ciel qui se perd comme lui, dans un monde interdit.

HENRI : Parle encore, Julie, parle. C'est beau comme la r'source à l'ombre des fougères.

[*Elle est tirée de son rêve par la voix d'*HENRI. *Elle le* *regarde et se dégage. Elle porte la main à son front comme quelqu'un qui veut se réveiller.*]

JULIE : Je rêvais ! [*Elle s'est éloignée.*]

HENRI : Pourtant, je t'ai tenue dans mes bras et je rêvais pas. Tu sais, Julie, j'ajoute pas foi aux rêves. Je crois seulement à ce que je touche, à ce que je peux atteindre de mes mains.

JULIE : Rappelle-toi quand tu marchais au catéchisme : l'évangile disait : « Si ta main te scandalise, coupe-la et jette-la au feu ! »

HENRI : Ma main a jamais posé un geste contre rien ni personne ; quand j'émotte la terre, c'est pour qu'elle pousse mieux ; quand j'essouche la savane c'est pour agrandir le bien ; quand je plante des piquets de cèdre, c'est pour protéger le troupeau et la récolte ; quand je creuse des rigoles, c'est pour égoutter les planches de mil : y m'en est poussé de la corne plein les mains, à force.

JULIE : La terre est là pour que ta main lui arrache la nourriture, mais dès que tu touches à la première levée au-delà des quatre arpents, ce que tu prends t'appartient pas.

HENRI : Si je le demande et qu'on me le donne, oui. J'attends que la main se tende vers moi.

JULIE : Ma main sait pas se tendre, que ce soit pour demander ou pour donner : elle a jamais rien reçu et jamais rien donné. [*Geste*] Mes mains se touchent l'une l'autre, se joignent, se serrent ou se ferment, y a jamais rien dedans. Et quand on me mettra en terre, on me joindra les mains une dernière fois sur le néant.

HENRI : [*Révolté*] Mais qu'est-ce que t'espères me faire croire avec tes phrases d'évangile et tes souvenirs de première communion ? Tu crois plus à rien de tout ça. On est de la même potée, Julie, on est pris dans un engrenage, faut suivre la roue ! D'accord ! mais c'est pas une raison parce que les autres meurent d'envie de sauter la clôture sans le faire, pour qu'on suive leur exemple. Y a une brèche qui se présente, une seule, et y a fallu l'attendre des mois ! C'est le moment où jamais de casser les amarres. Faut pas laisser filer le temps, Julie, y finira par ourdir une trame qui nous étouffera comme un collet étouffe un lapin.

JULIE : Tu te rends pas compte qu'on est pris tous les deux dans une trappe ? [*Elle s'en va à la fenêtre.*]

HENRI : Quand un renard se sent prisonnier dans un piège, au lieu d'attendre que la mort le délivre, c'est lui qui se libère : il se coupe la patte, lui-même, avec sa gueule ! Et il prend le large !

JULIE : La tempête est commencée.

HENRI : [*La rejoignant*] La neige court partout !

JULIE : Si on pouvait se faire poudrerie et s'éparpiller à la grandeur de l'hiver !

HENRI : Malgré ça, au printemps, on ferait encore partie de la même goutte d'eau.

JULIE : Si l'été revenait demain et qu'il nous répande en fleurs à perte de vue.

HENRI : La même brise nous frôlerait pour mêler nos odeurs. [*Petit à petit, il l'enlace. Elle ne résiste pas et s'émeut.*]

JULIE : Si on pouvait se changer en étoiles et se disperser aux quatre coins du ciel !

HENRI : Chaque soir nous allumerait en même temps qu'on allume la lampe après le souper.

JULIE : Si on pouvait devenir un air de violon et faire danser d'un bout à l'autre du canton !

HENRI : On finirait toujours par faire la promenade en accordant du pied !

JULIE : Si on pouvait tourner en nuit noire et flotter au-dessus de l'éternité !

HENRI : Le petit jour monterait quand même avec le soleil et on retournerait dormir ensemble.

JULIE : Si je dormais avec toi !...

HENRI : Je dormirais avec toi ! [*Ils s'embrassent.*]

JULIE : Prends-moi tandis que je rêve !

[*Il la prend dans ses bras et la porte comme une nouvelle mariée vers l'escalier. Il monte pendant que le rideau tombe.*]

FIN DU DEUXIÈME ACTE

Acte trois

[*Au lever du rideau,* IRÈNE *est assise dans la chaise qui fait face à la fenêtre. Elle est en jaquette, enveloppée dans une couverture en tricot. Elle a la tête appuyée au dossier de la chaise, les mains sur la couverture ; pâle, amaigrie, les cheveux sur les épaules.* LA MÈRE *est de dos à la salle, occupée à verser un liquide d'une petite bouteille dans un bol à boire. Au bout d'un instant, elle vient vers* IRÈNE.]

LA MÈRE : Tiens, bois.

[IRÈNE *porte le bol à ses lèvres et le remet à* LA MÈRE.]

LA MÈRE : Force-toi un peu, sans ça tu pourras pas aller à la procession de la Fête-Dieu, seulement.

IRÈNE : Quand j'irai au village, ça sera les pieds les premiers.

LA MÈRE : C'est ce qui va arriver, si tu continues à traîner les ailes. T'as passé l'hiver à dépérir à vue d'œil.

IRÈNE : Mourir de langueur au printemps !

LA MÈRE : À la fonte des neiges, pourtant, les jours rallongent, on a goût de revivre. Secoue-toi ! Ma grand-conscience, je finirai par croire que t'as pas envie de guérir pantoute.

IRÈNE : Oh ! si, mémère.

LA MÈRE : Ben ! y faut te renipper un peu, t'es maigre comme du petit lait.

IRÈNE : Peu importe ! Où je m'en vais, j'aurai à plaire à personne.

LA MÈRE : Quand on veut se remplumer, on parle pas comme ça. C'est défier le bon Dieu.

IRÈNE : La mort est encore la guérison la plus sûre : il reste aucune cicatrice.

LA MÈRE : À ton âge, une femme pense à donner la vie !

IRÈNE : Je peux même pas prendre soin de mes filles, mémère.

LA MÈRE : Le docteur a recommandé le repos complet. Les deux petites te fatiguaient, on les a envoyées chez ta mère.

Tu les auras quand tu seras relevée, pas avant. En attendant, si t'as la force, tu pourras aller les voir, si le temps est assez doux.

IRÈNE : Depuis des semaines, elles vont déjà commencer à se faire à mon absence. Elles me verront pas mourir.

LA MÈRE : C'est à décourager les anges de t'entendre. Pas plus de confiance que la chatte. J'aurai beau faire neuvaine pardessus neuvaine, si tu y mets pas du tien, je serai jamais exaucée.

IRÈNE : Oh ! le bon Dieu peut pas tout faire.

LA MÈRE : [*Outrée*] Ah ! ah ! ah ! avez-vous déjà entendu déparler comme ça ?

IRÈNE : Je sais qu'il pourrait me redonner la santé, mais il faudrait d'abord qu'il me rende... [*Elle s'arrête.*]

LA MÈRE : ... quoi ? qu'y te rende quoi ? y t'a rien pris que je sache ? T'as ton mari, tes enfants, une maison, de quoi vivre ? Pense donc plutôt à avoir d'autres rejetons, ça te changerait le mal de place.

IRÈNE : Non, mémère, j'aurai plus d'enfants.

LA MÈRE : Qu'est-ce que t'en sais ?

IRÈNE : C'est fini, je suis stérile, maintenant.

LA MÈRE : Le ciel t'a punie ou bien y a voulu t'éprouver : résignetoi.

IRÈNE : Que ce soit une épreuve ou une punition, qu'il frappe un bon coup une fois pour toutes, au lieu de me laisser mourir à petit feu. [*C'est une plainte désespérée.*]

LA MÈRE : Ma pauvre Irène, tu me désespères. J'ai beau m'évertuer à t'encourager, tu veux pas t'accrocher à mes jupes pour que je te sorte de là.

IRÈNE : Mémère, je voudrais avoir la force des saintes et la foi des martyrs, mais je suis qu'une pauvre petite habitante plantée comme une quenouille dans la fondrière. Comment voulez-vous que je casse pas au premier vent ?

LA MÈRE : Dans ce pays-ci, y faut se battre pour survivre. Y faut commencer par se frayer un chemin dans le bois avant de planter sa cabane. Ensuite, y faut arracher son bien à coups de hache et de pioche avant de récolter sa galette. L'hiver, y faut se laisser couler dans l'océan de neige qui nous sépare du monde, et en sortir au printemps avec les ours et les écureux. Si t'as le malheur de t'arrêter en route, le bois prend le dessus, la neige bloque toutes les sorties, la terre change le grain en cailloux, y te reste seulement à partir ou à crever en faisant quelques sursauts, comme un goujon que tu viens de tirer de l'eau.

IRÈNE : C'est là que j'en suis, à mes derniers sursauts...

LA MÈRE : À vingt ans, moi, j'aurais porté tous mes enfants à la fois, j'aurais fait reculer la barre du jour, j'aurais arrêté le soleil.

IRÈNE : La vertu des femmes est plus la même qu'autrefois, mémère.

LA MÈRE : Je suis vieille, regarde ! Mes mains sont nouées de rhumatismes, mes cheveux sont blancs de l'usure du temps, mon corps est marqué du fer de la charrue et de la bêche. Y m'est venu à moi itou, des larmes au cœur, des éclairs aux yeux, mais j'ai jamais perdu le firmament de vue ! J'ai jamais courbé les reins sans les redresser ensuite, même si le mal me faisait mordre les lèvres pour m'empêcher de hurler ! J'ai porté ma croix, comme la terre me porte. Et, quand j'ai mis le pied dans des ornières trop creuses, j'ai jeté une roche derrière moi pour que ceux qui me suivront puissent y poser le pied sans s'embourber. La sueur a souvent collé ma robe à mon dos et mes cheveux à mes tempes : mes doigts ont saigné à filer de l'étoupe et y m'a poussé de la corne sous les pieds à marcher du ber à l'étable et du grenier au four à pain. J'ai durci comme un arbre de pierre, et même si je sens mes racines sécher une à une, je reste plantée droite, au beau mitan de mon bien. Quand le temps sera venu, je remettrai mon âme à Dieu et ma carcasse à la terre !

IRÈNE : Mémère, vous venez d'une époque où il fallait reculer le bois à chaque jour pour l'empêcher de gagner le chemin du roi, il fallait bêcher d'une étoile à l'autre , il fallait se colletailler avec la terre pour qu'elle donne de quoi manger. C'est fini. Maintenant, la forêt est au fin fond du rang, la terre demande qu'à pousser, il faut se battre contre l'espace, contre l'immensité et on est à la merci du premier grand vent, parce qu'y a rien alentour pour nous protéger.

LA MÈRE : Le malheur, c'est qu'on vous a pas appris à savoir ce que vous voulez ! Tout vous est tombé rôti dans le bec. Vous savez pas vous battre.

IRÈNE : Il y a des jours où je souhaiterais que la guerre vienne jusqu'ici. [*Violent*]

LA MÈRE : Si t'avais des fils, tu parlerais pas comme ça.

IRÈNE : Il serait temps que nos hommes soient des héros, depuis le temps que les femmes le sont à leur place.

LA MÈRE : Une chance que t'es malade, sans ça je trouverais que t'as des propos révoltants. Ah ! que tu guérisses au plus vite !

MARIE : [*Descendant l'escalier avec sa jupe sur son bras.*] Mémère, j'ai peur que vous soyez obligée de partir sans moi, mon bas de jupe est défait.

LA MÈRE : Bon ! je t'attendrai pas, parce que je voudrais avoir le temps de jaser avec Zénaïde avant la prière au corps ; y faut compatir avec son voisin, c'est chacun son tour.

Marie : Je vous rejoindrai plus tard.

La mère : [*Allant prendre sa chape sur le clou près de la porte. À* Irène] On va dire une dizaine de chapelet à tes intentions, ma petite fille.

Irène : Merci !

[*La grand-mère sort. Petit temps pendant lequel* Marie *se met à coudre.*]

Irène : La prochaine fois que vous prierez au corps, c'est moi qui serai sur les planches !

Marie : Dis donc pas de choses que tu penses pas !

[Irène *se lève et regarde par la fenêtre. Elle s'en détourne, déçue...*]

Irène : Il m'avait semblé entendre...

Marie : Ils vont revenir après l'assemblée des enfants de Marie, si Henri a réussi à faire ferrer la pouliche pendant ce temps-là. Ça peut retarder, des fois, si la boutique de forge est bien achalandée.

Irène : Ils ont même plus besoin d'excuse ; regardez l'heure.

Marie : Tu devrais rougir de porter des jugements téméraires sur Julie et ton mari.

Irène : [*Sans agressivité*] Et vous, vous devriez rougir de me mentir aussi pieusement.

Marie : Des jours, je voudrais être aveugle. On peut faire semblant de pas voir pendant un temps, mais vient un moment où ça crève les yeux...

Irène : ... et le cœur.

Marie : Prends ta peine en patience, Dieu est juste.

Irène : Si Dieu était bon comme vous, je craindrais rien, mais j'ai peur. J'ai peur de mourir... et j'ai encore plus peur de vivre.

Marie : Occupe-toi de rien. Laisse-nous te soigner, tu vas voir que tu seras sur pied pour la semaine sainte.

IRÈNE : Le bon Dieu m'a abandonnée.

MARIE : Plus on est dans le noir, plus on doit chercher la lumière, il me semble. T'as perdu jusqu'au goût du soleil.

IRÈNE : Tout ce que j'ai dans la bouche, c'est un goût de métal qui me donne le frisson. Je suis comme un vieux soc rongé par la rouille.

MARIE : Arrête, tu me fais grincer des dents, à t'entendre.

IRÈNE : [*À la fenêtre, après un silence pendant lequel elle scrute dehors.*] Mourir de langueur au printemps ! Quand j'entendais ça, à seize ans, je me voyais en jaquette blanche, sur des nuages bleus, une couronne de fleurs sur la tête, comme une image, avec une palme dans la main, et je marchais sans toucher à rien, je m'en allais au ciel !... Je savais pas que, pour mourir, il fallait avoir le cœur qui manque d'éclater, les mains qui ont plus la force de retenir la chaleur, que la mort nous fait un trou comme les érables qu'on entaille et que c'est la vie qui coule de la plaie comme la sève. [*Elle crie presque.*] Je veux pas mourir. J'ai peur. C'est terrible de sentir son corps se refroidir morceau par morceau. J'ai peur ! J'ai peur ! La mort me cerne chaque jour davantage ! J'ai peur !

MARIE : [*Dans un élan, la prenant dans ses bras.*] Mais non, Irène, tu délires ! Tu délires, t'as la fièvre. Calme-toi ma poulette !... Laisse peser ta douleur sur mes bras, laisse ! Je la porterai pour toi. T'es trop belle et trop jeune pour regarder vers la terre déjà. Y faut vivre ! Y faut vivre ! Et, si tu peux prendre la vie à même la mienne, je te la donne, prends-la, mais y faut vivre. Plonge tes mains dans mon ventre pour les réchauffer, si y faut, arrache la chaleur inutile qui court dans mes veines, mais je te supplie de pas laisser le désespoir t'empoisonner. Serre les poings pour retenir le filet de vie qui te reste : au bout, y a l'espoir. Y faut vivre !

IRÈNE : [*Se dégageant*] Non, je sens que tout m'échappe, que je suis rendue en haut de la coulée, qu'ils attendent que j'aie le vertige pour me donner le coup de grâce ! [*Elle s'énerve.*] Ils sont toujours derrière moi, j'entends leurs caresses, je respire leurs senteurs. Leurs baisers me font crier comme si leur faim se nourrissait à ma chair. Parfois, je m'éveille la nuit avec une engelure au bras et c'est seulement sa main qui m'a frôlée en dormant. Pendant ce temps-là, elle murmure dans son rêve, et moi, j'étreins le vide ! [*Allant à la fenêtre*] Les voilà !

MARIE : Mais non, c'est le nordest.

IRÈNE : [*Regardant l'horloge*] Regardez l'heure ! Ah ! que je crève au plus vite ! Qu'est-ce qu'ils attendent pour me pousser au creux du ravin ? Qu'ils m'attachent une roche au cou et qu'ils me lancent au fond du puits ! [*Elle s'appuie au mur, épuisée, en larmes.*]

[MARIE *va la chercher et la conduit lentement à la chaise berçante.*]

MARIE : T'es comme une feuille de tremble, tu frissonnes à rien, tu devrais le savoir !... Ma beauté ! [*Lui caressant les cheveux*] Respire un peu ! Des jeux pour attraper ton coup de mort à t'échauffer comme ça ! [*Elle la couvre de la couverture de laine.*]

IRÈNE : Je suis au bout de ma fusée. C'est comme l'hiver, quand on saute dans un banc de neige, on n'entend plus rien et plus on se débat, plus on enfonce !

MARIE : Petite folle, tu jacasses comme une pie au lieu de profiter du silence de la maison pour te reposer. [*Elle la berce.*] Là , là, là ! Écoute la paix qui passe !... Là, là, là ! [*Elle commence à chantonner une berceuse.*] [*Au bout d'un moment elle demande à* IRÈNE] Chante avec moi ! Chante pour chasser les feux follets ! Chante ! [*Elle commence et* IRÈNE *la suit faiblement.* IRÈNE *s'endort vite et* MARIE *continue un moment, puis elle termine sa chanson en même temps qu'elle arrête de bercer la chaise. Elle va prendre sa jupe sur la pointe des pieds et s'en va dans la chambre de* LA MÈRE *pour la passer. Pendant ce temps* IRÈNE *dort paisiblement.* MARIE *revient sur la pointe des pieds, regarde* IRÈNE *et rajuste le châle... puis elle va prendre sa collerette à son tour et sort très doucement.*]

[*L'horloge marche de plus en plus fort. Dans son sommeil* IRÈNE *prend la respiration de l'horloge. L'horloge va plus vite, elle suit. Elle commence à s'agiter dans son sommeil. Puis elle porte la main à son cœur. L'horloge marche toujours de plus en plus fort. Elle s'éveille en sursaut. Le bruit cesse immédiatement. Elle regarde autour d'elle. Elle se laisse tomber la tête sur le dossier de la chaise. Elle se rendort. Aussitôt recommence le même manège de l'horloge qui va crescendo. Finalement c'est au cou qu'elle porte ses mains et dégraffe sa jaquette comme si on l'étouffait. Elle s'éveille encore en sursaut. Le bruit cesse également. Elle est essoufflée. Elle a mal à respirer. Elle appelle faiblement :*]

IRÈNE : Ma tante Marie !... [*Elle regarde autour encore. Nouvel appel*] Ma tante Marie ! [*Plus fort... Aucune réponse. Elle prend peur et se lève en appelant :*] ... Ma tante Marie ! [*Elle regarde vers le haut.*] Je suis toute seule ?...

[*À elle-même effrayée*] Seule !... [*Elle regarde vers la chambre.*] Personne ? [*Elle recule lentement de peur. Puis elle se tourne brusquement vers la fenêtre et s'y élance en courant.*] Ils reviennent !... [*Elle colle sa tête à la vitre et la retire très lentement.*] Non, rien !... [*Elle*

porte les mains à ses oreilles.] Ça culbute dans ma tête, dans mes oreilles !... *[Elle trébuche et vient près de perdre l'équilibre et fait quelques pas de chute vers l'avant en tendant les bras et la main pour se protéger. Elle ne tombe pas et se ressaisit. Elle a toujours le châle sur ses épaules. Elle devient hagarde et regarde autour d'elle. Elle se sent entourée. Elle se ramasse sur elle-même. Elle roule des yeux de gauche à droite et tourne en fixant quelqu'un qui la menace. Elle fait le tour assez grand pour finir par se trouver face à la porte de sortie vers laquelle elle se précipite en hurlant de peur.]*
[La porte doit se refermer sur son élan.]

NOIR

[Le rideau se lève immédiatement sur la scène précédente. L'horloge marque 25 minutes de plus. La pièce est vide. Puis JULIE *entre, venant du dehors. Elle file directement en haut, en enlevant manteau, gants, chapeau, etc... Pendant qu'elle est en haut, on entend le hennissement d'un cheval dehors. — SILENCE —* JULIE *descend au bout d'un moment en regardant vers la chambre de sa mère. Elle s'y dirige presque sur la pointe des pieds, en allongeant le cou pour voir, puis, avançant carrément devant la porte, comme quelqu'un qui s'aperçoit qu'il n'y a personne où elle croyait trouver quelqu'un. Étonnée, elle revient vers la chaise où se trouve la couverture qui enveloppait* IRÈNE. *Elle la prend, la plie et la dépose sur le dossier de la chaise. Elle a un regard vers l'horloge. Elle se dirige vers l'armoire d'où elle sort un pichet et un bol. Elle se verse du lait et elle boit, lentement.—* HENRI *entre et accroche son fanal qu'il éteint, d'abord. Il enlève ses bottes sur le tapis et les range sous les crochets. Il enlève son coupe-vent et regarde l'heure à son tour. Il vérifie sa montre. Il se dirige vers l'escalier en marmonnant sans se retourner, à mi-voix :]*

HENRI : Bonne nuit !

JULIE : [*Voix normale*] Tu vas déjà te coucher.

HENRI : [*Mi-voix*] Oui. Bonsoir !

JULIE : T'as peur de moi, maintenant ?

HENRI : [*Mi-voix*] Fais-le pas exprès, au moins ! [*Il a un regard vers le haut.*]

JULIE : La maison est vide, sois sans crainte.

HENRI : Comment, la maison est vide ?

JULIE : Personne dans la chambre [*Désignant la chambre de sa mère*] et les portes sont grandes ouvertes en haut. [*Elle finit son bol de lait.*]

HENRI : Irène doit être couchée, pourtant.

JULIE : La veilleuse est allumée dans le corridor ; j'ai bien vu en passant devant les chambres : personne.

HENRI : [*Inquiet*] Je comprends pas.

JULIE : Y a pas à s'inquiéter, si Irène est pas là, c'est qu'elle est avec maman et Marie.

HENRI : Mais où elles sont, ta mère et Marie ?

JULIE : Oh ! allées voir les enfants, probable.

HENRI : Irène a de la misère à mettre un pied devant l'autre.

JULIE : Mais non, elle va et vient dans la place. Bien étoffée, elle peut faire un tour dehors. Chez sa mère, c'est à deux pas.

HENRI : À c't'heure-là ? Et pourquoi aujourd'hui spécialement ?

JULIE : Ça la prend, comme ça, à propos de rien. Les malades ont des caprices, faut pas trop les contrebarrer. Et puis, Irène s'ennuie de ses petites, des fois.

HENRI : Oui, c'est naturel. [*Il reprend à monter.*] En tout cas !... Bonne nuit !

JULIE : [*L'arrêtant*] Henri !

HENRI : [*S'arrêtant — bouche fermée*] Hum ?

JULIE : T'es pas jasant, aujourd'hui.

HENRI : Fatigué !

JULIE : Voudrais-tu une tasse de savoyane ?

HENRI : Je suis pas si ménette que ça.

JULIE : T'as pas dit deux mots en revenant du village.

HENRI : J'avais pas le goût.

JULIE : Je sais que c'est pas dans tes accoutumances de placoter, mais t'es plus parlant, d'ordinaire.

HENRI : [*Dur*] Vous pouvez pas endurer qu'on se taise, on dirait.

JULIE : [*Idem*] Comme vous pouvez pas souffrir qu'on parle.

HENRI : [*Après un tout petit silence. Sur un autre ton.*] À force de parler, on finit par rendre les gestes inutiles, Julie.

JULIE : C'est pour ça qu'y a toujours un mur de paroles qui nous sépare.

HENRI : Les paroles, c'est bon pour les enfants, y parlent dans l'avenir ; ou pour les vieux, y parlent dans le passé.

JULIE : [*Vers l'escalier*] Pourquoi le petit garçon qui parlait dans l'avenir peut plus parler quand arrive le présent ? Pourquoi y attend d'être radoteux pour parler au passé ?

HENRI : J'ai pas de temps à gaspiller à rabâcher des airs de moulin à vent. Quand on est petit gars, on n'est pas encore un homme et quand on devient vieux on n'est plus un homme. Tu vois qu'entre les deux, y a pas grand place pour notre temps d'homme : faut le ménager.

JULIE : On vous tire les paroles de la bouche comme on arrache un glouton d'une chemise d'étoffe.

HENRI : [*Descendant, assez dur*] Quand est-ce que vous allez comprendre qu'un homme aime pas se promener tout nu ?

JULIE : Vous vous remisez dans votre silence. Vous vous encavez dans un cavreau. Pourquoi ?

HENRI : Dans une maison de femmes comme celle-là, vous pouvez pas savoir ce que c'est un homme.

JULIE : Comment tu veux qu'on l'apprenne ? [*Assez violente*] Vous desserrez jamais les dents ! Ce qu'on connaît de vous autres, c'est des gestes gauches et rares que vous avez honte de faire et qui sortent de vous autres parce que le besoin vous tenaille !

HENRI : Vous êtes là pour ça ! Faites votre devoir !

JULIE : Et on se soumet, sans rien dire, nous autres non plus ! Toujours ce maudit mur de paroles qui nous sépare.

HENRI : Vaut mieux faire que dire, Julie !

JULIE : [*Presque suppliante*] Y a des paroles qu'aucun geste peut remplacer, Henri ! Pour nous, un geste peut nous tromper, mais une parole peut nous sauver.

HENRI : Et le contraire aussi.

JULIE : Tu vois qu'y nous faut les deux pour être heureuses.

HENRI : Vous cherchez midi à quatorze heures ! Si vous pouviez vous contenter qu'on soit là et pas en demander davantage.

JULIE : Non, Henri, moi je peux pas me contenter de te savoir là. Y faut que je sache pourquoi le petit gars qui parlait dans l'avenir peut plus parler quand arrive le présent.

HENRI : La première fois que le petit gars réussit à s'empêcher de monter les larmes aux yeux quand son père l'a vargé, à partir de ce jour-là, Julie, y a appris qu'y avait des pleurs et des paroles pour les femmes et des poings serrés et des sacres pour les hommes. Quand y a eu à brailler plus tard, y a fessé à se fendre les jointures ! Et quand y a eu à parler, y a lâché un sacre, pas plus, mais y avait tout mis dans ce sacre-là. C'est comme ça qu'on devient un homme, par chez nous.

JULIE : Et c'est pour ça que vous pouvez pas tolérer le timbre de nos paroles et le sel de nos larmes.

HENRI : Le jour où je pourrai plus poser un geste, ce jour-là, je parlerai : je serai vieux ! Faut attendre.

JULIE : Le malheur, c'est qu'on devient vieilles avant vous ! On n'a pas le temps d'attendre ! Notre vie de femme est trop courte, nous autres aussi.

HENRI : À partir de la trentaine, la vie est courte pour tout le monde, toi ou moi.

[JULIE *va le prendre dans ses bras.*]

JULIE : Quand on est heureux, le temps file comme un glisse-neige qu'on peut pas contrôler.

HENRI : [*Réticent*] Ça vous ressemble tellement, le glisse-neige, ça sait jamais quand ça va virer de bord ! Vous partez en peur au moindre petit bruit ! À plus forte raison quand ça vient du cœur, vous savez plus où vous garocher. Vous êtes comme les moineaux qui entrent dans la maison l'été et qui savent pas comment sortir. À la première lueur qu'y voient, y s'élancent et y s'assomment, parce qu'y savaient pas qu'y avait une vitre dans le châssis.

JULIE : C'est notre instinct de femelle qui prend le dessus. Y a toujours, dans toute femme, la crainte qu'on lui arrache quelque chose. Bien souvent, elle sait pas quoi ; elle entend venir la destinée sans la deviner tout à fait. Et, quand la destinée arrive, elle nous prend encore par surprise, qu'elle soit bonne ou mauvaise ! À force de pressentir les choses, on a fini par vous deviner vous autres aussi, à travers votre écale. On est devenues des espèces de tireuses d'horoscope.

HENRI : Tu trouveras jamais un homme pour croire à vos pressentiments.

JULIE : Je me suis donnée à toi sans m'éveiller du rêve que je faisais depuis des mois et que je voulais chasser. Je savais que le même désir nous poursuivait, j'ai tout fait pour l'écarter, mais y m'a devancée ! J'ai été heureuse !

HENRI : De quoi tu te plains ?

JULIE : De ces mots que tu m'as dits et qui sont devenus des gestes, pour ensuite se transformer en silences.

HENRI : Si au moins, le silence était la paix.

JULIE : J'ai peur d'être au faîte de ma joie, maintenant. Je vis avec la crainte de... de te perdre.

HENRI : Bon gré, mal gré, Julie, toute notre vie, on la passe à semer un peu de nous autres en chemin. À quoi ça sert de s'attacher aux choses et aux gens, puisqu'y faudra les laisser un jour ?

JULIE : Y a des attaches qui se serrent malgré nous autres et qu'on peut pas empêcher de nous lier.

HENRI : Y faut les trancher à la faucille.

JULIE : Si tu voulais me séparer de toi, y faudrait m'écorcher comme une bête de boucherie ! Empêche-moi de regretter le printemps qui vient. [*Désespérée, elle le prend passionnément dans ses bras et l'embrasse. Il reste froid. Elle défait son étreinte et le regarde. Elle tremble. Il ne bouge pas. Elle ne sait pas comment agir. Pleurer. Partir. Parler. Finalement, elle sent comme un poids qui pèse sur elle. Les larmes vont monter. Elle s'en défend. Elle tourne le dos et va vers la fenêtre, où elle va s'appuyer sur la chaise. À ce moment précis,* HENRI *parle. — Elle ne le regarde pas.*]

HENRI : Au village, tantôt, j'ai été chez le notaire pour bâcler l'achat de la terre du père Anthyme.

[JULIE *reste immobile un instant très court. Puis, comme si elle recevait un coup de fouet, elle lui fait face. Il la regarde. Mais le bruit qui arrive du tambour les empêche de continuer.*]

[*La porte s'ouvre et* LA MÈRE *entre et regarde en direction d'où elle vient, pendant que* MARIE, *en coulisse, parle à quelqu'un qu'on ne voit pas.*]

MARIE : [*De la coulisse ; comme à quelqu'un qui s'éloigne*] Merci, d'être venus nous reconduire, hein ?

LA MÈRE : [*Même jeu*] Attention aux trous d'eau, en retournant chez vous.

MARIE : [*Entrant*] Si ça continue à fondre vite de même, le temps des sucres sera pas long.

LA MÈRE : [*Allant à sa chambre y porter chapeau et chape*] Souhaitons qu'y ait pas de débâcle, cette année, en tout cas.

[MARIE *commence à se devêtir sur le tapis.* JULIE *est restée médusée de ce que lui a dit* HENRI. *Lui s'inquiète d'*IRÈNE *qu'il ne voit pas revenir.*]

HENRI : [*À* MARIE] Irène est restée chez sa mère ?

MARIE : Irène était pas avec nous autres, on vient de la prière au corps, chez monsieur Joseph Leclerc.

[HENRI *et* JULIE *ont la même réaction. Ils se regardent.*]

LA MÈRE : [*Ayant entendu, revenant vite de la chambre*] Irène est pas en haut, dans sa chambre ?

HENRI : [*Après un regard à* JULIE, *douteux —* JULIE *se retourne.*] Je vas voir ! [*Il grimpe l'escalier quatre à quatre.*]

MARIE : [*À* JULIE] Elle était pas dans sa chaise quand vous êtes revenus du village, Julie ?

JULIE : [*Raide*] La berçante était à lège quand on est arrivés.

LA MÈRE : [*À* MARIE] Quand t'es partie, derrière moi, elle était comme de coutume ?

MARIE : Je l'ai laissée endormie, là ! [*Montrant la chaise.*]

LA MÈRE : [*Ne perdant pas le nord*] Elle peut pas être allée bien loin dans son état.

HENRI : [HENRI *redescend vivement en disant :*] Elle est pas là ! [*Il file directement vers la porte où il met vivement ses bottes en disant :*] Je vais aller voir dehors, cherchez partout dans la maison.

MARIE : [*S'empresse d'allumer le fanal pour* HENRI.] Je t'allume le fanal.

LA MÈRE : [*À* JULIE *:*] Prends le lampion, va voir à la cave.

[JULIE *prend le lampion qui brûle devant la statue et se dirige vers la cave dont la porte est sous l'escalier. Elle sort.*] — [LA MÈRE *s'en va dans la salle à manger.*] [HENRI *est prêt et sort.* MARIE *est prise de panique.* LA MÈRE *revient de la salle à manger et s'en va dans le salon, dont la porte fait face à celle de sa chambre.*]

LA MÈRE : [*À elle-même, en passant par la scène*] Qu'est-ce qui a bien pu lui passer par la tête ! [*Elle file vers le salon.*]

MARIE : [*Paniquée — à mi-voix*] Si je l'avais pas laissée toute seule !... Mon Dieu ! Mon Dieu !... [*Elle prend son front dans ses mains. Elle enlève soudain ses mains... Elle les met sur sa bouche. Son regard se porte vers le haut de l'escalier. Elle enlève sa main et dit pour qu'on entende à peine :*] Le grenier !...

JULIE : [*Arrivant de la cave.*] Rien d'anormal dans la cave.

MARIE : [*Courant à Julie*] Julie, le grenier ! Les poutres ! [*Elle va à l'escalier qu'elle monte*] Monte avec moi ! [JULIE *suit* MARIE. LA MÈRE *revient du salon à ce moment-là et demande :*]

LA MÈRE : Où est-ce que vous courez ?

MARIE : Au petit grenier !

[LA MÈRE *reste immobile un moment. Puis elle commence à balancer la tête de droite à gauche.*]

LA MÈRE : Ça se laisse sombrer dans la langueur comme un œuf dans le sirop !... Quand on est mère de famille, y a rien qu'une chose qui compte, les enfants. Y ont pas à souffrir des fredaines de leur père et des faiblesses de leur mère, y sont innocents... Y va falloir que je m'attelle encore une fois pour t'aider à tirer ton voyage ma pauvre petite fille. Si c'est ton mari que tu veux punir, Irène, détrompe-toi, c'est encore toi qui pâtiras le plus. Ce qu'y faut, c'est se barder contre la douleur. Autrement, y a longtemps que j'aurais tourné casaque ! Ah ! c'est quand on est jeune Irène qu'on apprend à vieillir ! [*Elle entend le pas de* MARIE *et de* JULIE *qui descendent l'escalier.*]

MARIE : [*Vivement en allant directement à la porte*] Je vais rejoindre Henri.

JULIE : [*Descend lentement en disant :*] Le grenier est désert. [*Elle va déposer le lampion où elle l'a pris.*]

[MARIE *sort — silence lourd. —* LA GRAND-MÈRE, *au bout d'un instant a une idée.*]

LA MÈRE : Peut-être qu'ils sont venus la chercher pour l'emmener voir les enfants !

JULIE : Peut-être.

LA MÈRE : Julie, habille-toi et cours aux nouvelles.

JULIE : Oui. [*Elle va prendre un gilet ou un châle sur le crochet. En l'endossant :*] Y va falloir s'accoutumer à l'absence d'Irène, pourtant, à l'avenir.

LA MÈRE : Qu'est-ce qui te fait dire ça ?

JULIE : Henri vient d'acheter la terre du père Anthyme.

LA MÈRE : Mais la promesse de vente qu'on a signée ?

JULIE : Elle sera pas respectée.

LA MÈRE : C'est lui qui t'a dit ça ?

JULIE : Oui. Y est allé régler les papiers en me menant au village.

LA MÈRE : Sans m'en avoir parlé ! Pourquoi ?

JULIE : Demandez-lui !

LA MÈRE : Mais Irène aurait pu nous prévenir !

JULIE : C'est elle qui sera la dernière à le savoir, sans doute. [JULIE *ouvre la porte pour sortir, mais elle recule sur le mur en voyant venir* HENRI. *Il entre en portant* IRÈNE *dans ses bras. Il vient de la tirer du puits.* LA MÈRE *reste figée et* JULIE *ne bouge pas les yeux fixés sur* IRÈNE. *Il avance lentement.* IRÈNE *est morte. Elle a les yeux ouverts, mais avant que* LA GRAND-MÈRE *sache qu'elle est morte, elle dit sur place :*]

LA MÈRE : Le puits ! [*Elle s'approche d'*IRÈNE *et constate, à ses yeux ouverts, qu'elle est morte. Elle regarde* HENRI. *Il reste muet. Elle ferme les yeux d'*IRÈNE. *Puis elle se dirige vers sa chambre.* HENRI *la suit en portant* IRÈNE.] [MARIE *entre à ce moment en larmes portant les chaussures d'*IRÈNE *que celle-ci a laissées près du puits avant* *de s'y jeter. Elle ferme la porte et va directement à l'horloge qu'elle arrête. Puis elle pose les chaussures sur la table.* JULIE *l'a regardée faire ces mouvements sans bouger. Elle est restée près de la porte. Elle avance vers* MARIE *en disant à mi-voix, étranglée.*]

JULIE : Marie !

MARIE : C'est ma faute, j'aurais pas dû la laisser.

JULIE : Tais-toi, Marie ! Cherche pas à t'accuser. Tu sais, toi, à qui la faute !

MARIE : On aura tous quelque chose à se reprocher, Julie.

JULIE : [*La prenant aux épaules*] Quand est-ce que tu vas cesser de porter les actes des autres, Marie ? Chacun a droit à son plaisir et à sa peine. Tant pis si t'as rien à toi !

MARIE : [*Se dégageant*] Si un jour t'avais des enfants, Julie, tu serais capable de les dévorer.

[HENRI *et* LA MÈRE *reviennent de la chambre. Petit temps.*]

LA MÈRE : Y a fallu que quelqu'un attire la vengeance du bon Dieu, pour qu'y nous punisse aussi durement.

MARIE : Faut pas chercher à connaître les desseins d'En Haut, mémère.

LA MÈRE : Le ciel a pas pu laisser entrer le désespoir dans ma maison !... J'ai usé mes os à porter l'espoir à bout de bras pour que mes enfants s'en nourrissent dans l'éternité. J'ai traîné à mes pieds des lambeaux de ma terre jusqu'à la balustrade pour trouver la force qui manquait à mes reins pour lever mon fardeau. J'ai devancé le petit jour et j'ai poussé la nuit de mes deux mains pour pouvoir finir mes semences et mes récoltes. J'ai porté mes petits aux champs comme les bêtes. Et, quand j'ai perdu mon mari, j'ai pris la relève, j'ai résisté à la faim, au soleil,

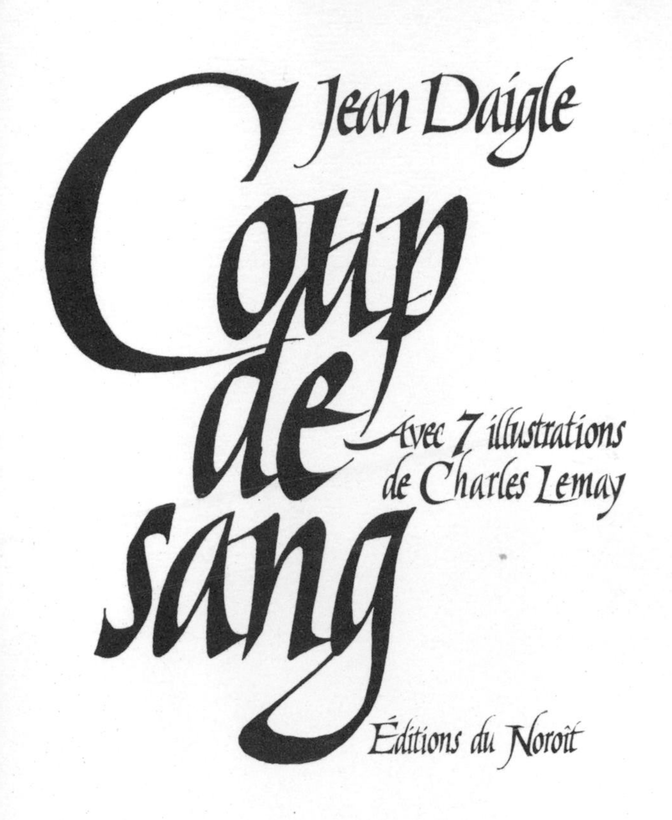

Le Théâtre du Nouveau Monde et les Editions du Noroît vous invitent au lancement du livre de Jean Daigle, “Coup de Sang”, au cours duquel les illustrations du livre faites par Charles Lemay, seront exposées dans le foyer du théâtre.

Lundi le 1er novembre à 20h00
au Théâtre du Nouveau Monde
84 ouest, Ste Catherine

R.S.V.P: 932-3137

à la soif, à la gelée ; j'ai vaincu la peur, la solitude ; j'ai attaqué jusqu'à ma vieillesse ! [*Émue malgré elle.*] Comment voulez-vous qu'une vieille femme comme moi empêche une enfant qui veut mourir ? Quand j'ai voulu qu'Irène vienne rester avec nous autres, c'était pour sentir la vie recommencer comme au jour de mes noces. C'était pour mourir, en sachant que, sur ma terre, y avait des jeunes aunes qui prenaient racine... La mort vient de tout faucher... inutilement ! [*À* HENRI.] Toi aussi, Henri, tu vas partir ?

HENRI : Oui, mémère, je vais partir.

LA MÈRE : [*Écrasée*] J'aurai donc passé ma vie à me battre contre la forêt, la roche et la neige pour que tout s'éteigne avec moi. Toute ma sueur aura été inutile. Y faudra que je meure les mains vides, malgré moi. [*Les mains qu'elle avait regardées se replient sur le ventre et la font plier sous la douleur.*] Est-ce que le bon Dieu va continuer à me tirer mes enfants du ventre jusqu'à la troisième génération ? Qu'est-ce qu'il faudra que je donne pour mériter ma place au paradis ? Mon Dieu ! [*Ce « mon Dieu ! » est un blasphème qu'elle hurle en pleurant. Elle est devenue une vieillarde que* MARIE *aide à s'asseoir dans la chaise. Elle reste prostrée un instant puis elle se redresse et se lève.* MARIE *veut l'aider encore. Elle refuse.*] Laisse, Marie ! [*Elle redevient* LA MÈRE.] [*À* JULIE.] Demain, Julie, je te donnerai tes droits, tu pourras partir. [HENRI *et* JULIE *se regardent.*] [*À* HENRI.] Henri, va avertir la famille d'Irène. [*À* MARIE.] Marie, suis-moi, allons ensevelir la petite. [*Elles entrent dans la chambre.* HENRI *et* JULIE *restent seuls. Leur pensée se rejoint. Ils ne se regardent pas en face.* HENRI *se dirige vers la porte. Il sort.* JULIE *regarde autour d'elle. Vers la chambre, elle dit :*

JULIE : Ta mort aura servi à me faire sortir d'un enfer pour me jeter dans un autre, pire que le premier ! [*Comme un coup de fouet.*] Dieu est inhumain !

LE RIDEAU TOMBE

Jean Daigle
Montréal
1966-1967